Score

100 tests pour contrôler et améliorer
votre **portugais**

Les langues pour tous

SCORE

100 tests

pour contrôler et améliorer votre portugais

Jorge Dias Da Silva
Assistant associé à l'Université de Paris III

Solange Parvaux
Inspecteur général de portugais

PRESSES POCKET

Les langues pour tous

Collection dirigée par Jean-Pierre Berman,
Michel Marcheteau et Michel Savio

PORTUGAIS

☐ Pour débuter ou tout revoir :
  • **40 leçons (Portugal/Brésil)**

☐ Pour se perfectionner et connaître l'environnement :
  • **Pratiquer le portugais**

☐ Pour évaluer et améliorer votre niveau :
  • **Score** (200 tests de portugais)

☐ Pour aborder la langue spécialisée :
  • **Le portugais économique & commercial**

☐ Pour prendre contact avec des œuvres en version originale :
  • **Série bilingue :**

→ **Niveaux :** ☐ facile (1er cycle)   ☐☐ moyen (2e cycle)   ☐☐☐ avancé
Contes et chroniques d'expression portugaise   ☐   ☐   (Portugal - Brésil - Afrique)

Autres langues disponibles dans les séries
de la collection **Les langues pour tous**

**Anglais/Américain - Allemand - Arabe - Espagnol - Français
Grec - Hébreu - Italien - Latin - Néerlandais - Russe**

© Presses Pocket 1985
ISBN : 2-266-04407-9
ISSN : 07622260

Table des matières

- **SCORE est une méthode** d'auto-évaluation **et** d'auto-enseignement **portant sur les structures de base du portugais parlé et écrit.**

- **Elle s'adresse à toute personne désireuse de** faire le point **sur ses connaissances grammaticales en portugais, de localiser ses difficultés et d'y remédier rapidement, sans être obligée de suivre des cours.**

- **Elle constitue un** outil de mesure, **en même temps qu'un** moyen de diagnostic **et de** traitement **valable pour les jeunes d'âge scolaire comme pour les adultes.**

- **La méthode SCORE comporte 3 parties A, B, C.**

- **La partie A est constituée par un test de 100 questions permettant de** contrôler **la connaissance des structures de base. Le corrigé qui fait suite au test signale les erreurs et renvoie aux sections de la partie B.**

- **La partie B** traite **les points de grammaire correspondants. Elle comporte 100 sections, chacune expliquant un élément fondamental des structures de la langue. Compréhension et acquisitions sont contrôlées par les exercices avec corrigés qui terminent chaque section.**

- **La partie C est constituée par un test symétrique de A. Celui-ci permet de** mesurer les progrès. **Le corrigé qui suit signale les erreurs et renvoie de nouveau à la partie B, pour revoir les points qui n'ont pas encore été maîtrisés.**

Test A

(1) ● Choisir parmi les *quatre* réponses proposées, la solution a, b, c ou d qui permet de compléter la phrase.
Pour chacun des 100 éléments du test il n'existe qu'une seule bonne réponse
● Soulignez la réponse choisie, puis
● Consultez le corrigé en **A**, p. 30.

(2) ● Faites le total des points obtenus en comptant 1 point par bonne réponse, zéro point par réponse fausse ou absence de réponse.
● Vous obtiendrez un résultat sur 100 qui vous permettra :
a) de vous situer sur la grille de niveau (p. 52).
b) de remédier à vos difficultés en étudiant dans la partie **B** (TRAITEMENT) les points sur lesquels vous avez fait des fautes.

(3) ● Après avoir étudié cette partie **B** faites le test **C**, en comptabilisant vos résultats comme pour le test **A**, vous pourrez ainsi mesurer vos progrès.

→ Attention : si vous ne trouvez pas la bonne réponse à un des éléments du test, n'essayez pas de répondre au hasard, cela fausserait l'évaluation d'ensemble et ne résoudrait pas vos difficultés.

Cochez une des quatre cases (a, b, c, ou d).
Pour établir votre score voir p. 30-31

① **O senhor .... em Lisboa e você, meu amigo, onde .... ?**

  a moras ...... vives
  b mora ...... vive
  c morais ...... viveis
  d more ...... viva

② **Ele .... ; ela .... , mas responde-lhe.**

  a chama-a ; ...... não levanta-se
  b a chama ; ...... não se levanta
  c chama-a ; ...... não se levanta
  d chama-a ; ...... não levanta-se

③ **Gostas do livro ? Vou ....**

  a o comprar
  b comprar-o
  c compra-lo
  d comprá-lo

④ **O salário, pagam .... amanhã.**

  a lhe o
  b o lhe
  c lho
  d lhe-o

⑤ **Os cabelos, ela ....**

  a cortará-os
  b cortá-los-á
  c cortar-os-á
  d corta-los-á

Score

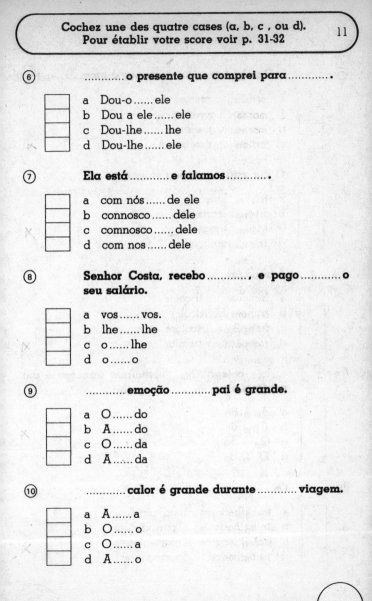

(6) .... o presente que comprei para............ .

a   Dou-o ...... ele
b   Dou a ele ...... ele
c   Dou-lhe ...... lhe
d   Dou-lhe ...... ele

(7) **Ela está** .... **e falamos** ....

a   com nós ...... de ele
b   connosco ...... dele
c   comnosco ...... dele
d   com nos ...... dele

(8) **Senhor Costa, recebo** .... **, e pago** .... **o
seu salário.**

a   vos ...... vos.
b   lhe ...... lhe
c   o ...... lhe
d   o ...... o

(9) .... **emoção** .... **pai é grande.**

a   O ...... do
b   A ...... do
c   O ...... da
d   A ...... da

(10) .... **calor é grande durante** .... **viagem.**

a   A ...... a
b   O ...... o
c   O ...... a
d   A ...... o

Score

Cochez une des quatre cases (a, b, c, ou d).
Pour établir votre score voir p. 32-33

⑪ **O pai é um .... ; a mãe é uma ....**

- a   artiste ...... professora
- b   artisto ...... professora
- c   artista ..... professor
- d   artista ...... professora

⑫ **O dia está .... e a viagem é ....**

- a   frio ...... longo
- b   fria ..... longa
- c   frio ..... longa
- d   fria ..... longo

⑬ **A bandeira .... é ....**

- a   francesa ...... tricolor
- b   francês ...... tricolor
- c   francês ...... tricolora
- d   francêsa ..... tricolor

⑭ **............ colega .... estudante francesa é um rapaz bonito.**

- a   A ...... do
- b   A ...... da
- c   O ...... do
- d   O ...... da

⑮ **Os .... são ....**

- a   trabalhadores ...... português
- b   trabalhadores ...... portuguêses
- c   trabalhadores ...... portugueses
- d   trabalhadors ...... portugueses

Score

⑯ **Os .... são .... de descarregar.**

- a barrils ...... difíceis
- b barris ...... difíceis
- c barris ...... difícis
- d barriles ...... difíciles

⑰ **O Verão e a Primavera são ....**

- a ...... estaçãos agradáveis
- b ...... estações agradáveis
- c ...... estaçães agradáveis
- d ...... estações agradáveles

⑱ **O pai do João vive .... Portugal, ... Porto.**

- a no ...... no
- b em ...... em
- c em ...... no
- d em ...... em o

⑲ **........... senhora espera amigos .... café.**

- a Uma ...... num
- b Uma ...... um
- c Uma ...... em um
- d Una ...... num

⑳ **Ele gosta .... professor e .... explicações claras.**

- a de seu ...... suas
- b de o seu ...... do os suas
- c do seu ...... das suas
- d do seus ...... das suas

Score

Cochez une des quatre cases (a, b, c, ou d).
Pour établir votre score, voir p. 35-36

(21) .... **amiga, este casaco é** .... **?**

- a A minha ...... teu ?
- b Minha ...... o teu ?
- c Minha ...... teu ?
- d Minha ...... tua ?

(22) **Senhor Castro, o isqueiro não é** .... **; é dele.**

- a seu
- b sua
- c vosso
- d teu

(23) .... **carros aí são carros de aluguer.**

- a Esses
- b Estes
- c Aqueles
- d Essos

(24) **Vou sempre** .... **café ali,** .... **rua.**

- a este ...... naquela
- b a aquele ...... em aquela
- c àquele ...... naquela
- d aquele ...... naquela

(25) **É verdade,** ...... **que te convidámos.**

- a é nós
- b somos nós
- c foi nós
- d fomos nós

Score

26

.... cigarros são .... do meu irmão.

  a Estos ...... os
  b Estes ...... esses
  c Estes ...... as
  d Estes ...... os

27

Há muitos turistas .... **centro da cidade que passeiam** ...... **ruas.**

  a em o ...... por as
  b no ...... nas
  c ao ...... polas
  d no ...... pelas

28

Minha mãe fica .... **casa e eu vou** .... **tua.**

  a na ...... à
  b em ...... em
  c a ...... à
  d em ...... à

29

A mãe está .... **(contigo) ? Sei** ....

  a lá encima ...... lá
  b cá em cima ...... lá
  c lá em cima ...... lá
  d lá em cima ...... cá

30

Vou no avião que passa .... **da cidade.**

  a em cima
  b acima
  c encima
  d por cima

Score

③① .... **não esperaste por mim ?**

   a Porquê
   b Para que
   c Porque
   d Por que

③② **A camioneta que vai** .... **Faro passa aqui** .... **oito horas.**

   a para ...... pelas
   b para ...... por as
   c a ...... pelas
   d para ...... para as

③③ **O senhor deu-me 500$00 ;** .... **o troco.**

   a ali tem
   b cá tem
   c aqui tem
   d aqui

③④ **Pensa** .... **sorte que tens e aproveita** .... **ocasião.**

   a à ...... a
   b em a ...... a
   c na ...... da
   d na ...... a

③⑤ **Ele não** .... **lugar porque** .... **muita gente.**

   a há ...... há
   b tem ...... tem
   c há ...... tem
   d tem ...... há

Score

(36) **O Pedro** .... **em Lisboa que** .... **a capital de Portugal.**

a é ...... é
b está ...... está
c é ...... está
d está ...... é

(37) **Portugal** .... **situado à beira-mar e** .... **na Europa ocidental.**

a é ...... fica
b está ...... está
c está ...... fica
d é ...... é

(38) **Não** .... **contentes porque o trabalho** .... **duro.**

a estão ...... é
b são ...... é
c são ...... está
d estão ...... está

(39) **A casa** .... **construída à beira-mar ;** .... **construída por um bom arquitecto.**

a é ...... foi
b está ...... esteve
c está ...... foi
d esta ...... foi

(40) **O vendedor** .... **o cliente.**

a está atendendo
b está a atender
c está ao atender
d está atender

Score

(41) **Ele .... a olhar para o rapaz que .... a
vender jornais.**

- a é......é
- b está......está
- c está......anda
- d anda......anda

(42) **O comboio está .... chegar.**

- a por
- b em
- c está chegar
- d para

(43) **Porque .... elas não vieram ontem ?**

- a foi que
- b foram que
- c é que
- d porque elas

(44) **............ arrumar a casa e tu .... ir ao
mercado.**

- a Tenho......tens
- b Hei-de......hás-de
- c Devo......deves
- d Tenho de......tens de

(45) **É preciso .... na vida.**

- a que trabalhar
- b trabalhe
- c de trabalhar
- d trabalhar

Score

(46)   **Hoje .... em casa ; amanhã .... ao supermercado.**

a   ficava ...... vou
b   fico ...... irei
c   fico ...... vou
d   fico ...... iria

(47)   **............ (você) já o café ; não o .... frio.**

a   Serve ...... traz
b   Serva ...... traza
c   Sirva ...... traga
d   Servi ...... trazei

(48)   **O telefone está a tocar. Quem .... ?**

a   é
b   seria ?
c   será ?
d   sera ?

(49)   **Ele .... e nós ....**

a   tem chegado ...... temos-lhe falado
b   é chegado ...... falámos-lhe
c   chegou ...... falámos-lhe
d   cheguei ...... falamos-lhe

(50)   **Ontem eu .... à praia ; ele não .... vir. Foi
agradável.**

a   foi ...... pôde
b   fui ...... pude
c   fui ...... pode
d   fui ...... pôde

Score

Pour établir votre score, voir p. 42-43

(51) **Eu .... muito nestes últimos dias.**

- a vi-o
- b o tenho visto
- c tenho-o visto
- d tenho visto-o

(52) **Nunca fui ao Brasil. .... de lá ir.**

- a Gostava
- b Gosto
- c Gostei
- d Gostaria

(53) **Ele disse-me ontem que os ....**

- a havia encontrado
- b tem encontrado
- c tinha encontrado
- d tinha encontrados

(54) **A lâmpada estava .... ; tinham-na**
.... pouco antes.

- a acendida ...... acendido
- b acesa ...... acendida
- c acesa ...... acendido
- d aceso ...... acendido

(55) **............ , voltámos para casa.**

- a A manifestação acabada
- b Acabando a manifestação
- c Estando acabada a manifestação
- d Acabada a manifestação

Score

⑤⑥ **Ele entrou .... um cigarro.**

    a   em fumando
    b   fumando
    c   ao fumar
    d   a fumar

⑤⑦ **Não .... Quero que .... em casa.**

    a   saias ...... ficas
    b   saias ...... fices
    c   saías ...... fiques
    d   saias ...... fiques

⑤⑧ **Sei que .... doente, não penso que ....**

    a   está ...... vem
    b   esteja ...... venha
    c   esteja ...... vem
    d   está ...... venha

⑤⑨ **Respondeu à pergunta como se ....**

    a   sabia
    b   sabesse
    c   soubesse
    d   saiba

⑥⓪ **Se não .... sinais, ... mais desastres.**

    a   havia ...... haveria
    b   houvesse ...... havia
    c   houvesse ...... haveria
    d   haja ...... havería

Score

Cochez une des quatre cases (a, b, c ou d).
Pour établir votre score, voir p. 44-45

Pour établir votre score, voir p. 44-45

(61) Quando .... anos, convida-me.

- a faças
- b fizeres
- c farás
- d fazeres

(62) É preciso nós .... o hotel antes de .... a viagem.

- a reservar ...... fazer
- b reservarmos ...... fizermos
- c reservarmos ...... fazermos
- d reservemos ...... fazermos

(63) Anunciou que .... logo que ....

- a virá ...... puder
- b viria ...... pudesse
- c viria ...... puder
- d virá ...... pudesse

(64) Ele teria pago a conta se .... dinheiro.

- a tiver tido
- b tivesse tido
- c tinha tido
- d tenha tido

(65) Por mais que ele ...... não faz progressos.

- a estuda
- b estudasse
- c estude
- d estudou

Score

(66)   **Amanhã talvez .... menos gente.**

    a há
    b haverá
    c houver
    d haja

(67)   **........... que neste prédio .... apartamentos.**

    a Dizem ...... vendem
    b Dizemos ...... vendemos
    c Dizem-se ...... se vendem
    d Dizem ...... se vendem

(68)   **........... é a pessoa .... está contigo ?**

    a Quem ...... quem
    b Que ...... que
    c Quem ...... que
    d Que ...... quem

(69)   **........... são os motivos da tua vinda ?**

    a Quales
    b Qual
    c Quais
    d Que

(70)   **A casa .... janela está aberta é minha.**

    a de que
    b cuja
    c cujo
    d cuja a

Score

⑦¹ **A floresta entre............árvores me perdi era densa.**

- a quais
- b que
- c cujas
- d cujas as

⑦² **Havia momentos............ele não queria falar.**

- a onde
- b nos quais
- c em que
- d em quem

⑦³ **Fui a Lisboa, posso falar.............**

- a da cidade
- b dela
- c nisto
- d dali

⑦⁴ **............crianças querem............o que vêem.**

- a Todas......todo
- b Tudas......tudo
- c Todas......tudo
- d Todas as......tudo

⑦⁵ **Não tenho............lápis.**

- a nenhum
- b ninguém
- c nenhuma
- d algum

Score

76 **Esta casa é**............ **e mais confortá-vel**............ **aquela.**

a mais grande......do que
b maior......do que
c maior......que
d maiora......do que

77 **As laranjas são**............ **caras**............ **os pêssegos.**

a tão......que
b tanto......que
c tão......como
d tanto......como

78 **Esta paisagem é a mais bonita**............ **.**

a que eu conheço
b que eu conheça
c que eu conhece
d do que eu conheço

79 **É uma**............ **de província,**............ **.**

a cidadinha......bonitinha
b cidadezinha......bonitazinha
c cidadezinha......bonitinha
d cidadezinha......bonitainha

80 **O**............ **dizia**............ **.**

a homenzarrão......palavrazões
b homemzarrão......palavrazões
c homenzarrão......palavrões
d homenzão......palavrões

Score

Cochez une des quatre cases (a, b, c, ou d).
Pour établir votre score, voir p. 48-49

⑧① **Há já .... pessoas na sala.**

- a . bastantas
- b bastante
- c bastantes de
- d bastantes

⑧② **Ele .... veio e .... esperou por mim.**

- a mesmo ...... até
- b mesmo ...... mesmo
- c mesmo ...... próprio
- d próprio ...... até

⑧③ **Ele teve .... visitas .... ficou cansado.**

- a tanto ...... que
- b tão ...... que
- c tantas ...... que
- d tantas ...... como

⑧④ **Estão aqui .... rapazes e .... raparigas.**

- a dois ...... dois
- b duas ...... duas
- c duas ...... dois
- d dois ...... duas

⑧⑤ **Em meia hora fiz .... do trabalho.**

- a dobro
- b o dobro
- c o duplo
- d duplo

Score

(86) **Ele não anda.............., anda.............. .**

a rapidomente ...... dificilmente
b rapidamente ...... dificilmente
c rapidamente ...... dificilemente
d rapidmente ...... dificilmente

(87) **Dormiste bem ?............. .**

a Sim
b Durmo
c Dormi
d Dormiste

(88) **Ela já tinha cinco filhos e teve............. .**

a um mais.
b ainda um
c um
d mais um

(89) **............ que me engano.**

a Chega
b Acontece
c Sucede
d Consegue

(90) **............ os pés.**

a Doía-lhe
b Doía
c Doíam-lhe
d Ele doía

Score

⑨① .... **se quer vir connosco e** .... **o mapa.**

- a Pede-lhe ...... pede-lhe
- b Pergunta-lhe ...... pergunta-lhe
- c Pede-lhe ...... pergunta-lhe
- d Pergunta-lhe ...... pede-lhe

⑨② **Ele** .... **um passeio pela cidade.**

- a fez
- b passeou
- c deu
- d dei

⑨③ **Ela** .... **fazer um vestido há dois dias.**

- a fez
- b fiz
- c mandou
- d manda

⑨④ **Vou** .... **comboio, venho** .... **avião.**

- a de ...... de
- b em ...... em
- c a ...... a
- d por ...... por

⑨⑤ **O comboio** .... **partir.**

- a vem de
- b acaba
- c vem
- d acaba de

Score

(96) **O filho .... piano e o pai .... às cartas.**

    a toca do ...... joga
    b joga ...... joga
    c toca ...... joga
    d joga ...... toca

Écrire les chiffres romains en toutes lettres.

(97) **O Papa João XXIII viveu no século XX.**

    a vigésimo terceiro ...... vinte
    b vinte e três ...... vigésimo
    c vigésimo terceiro ...... vigésimo
    d vinte e três ...... vinte

(98) **Que .... ? .... uma hora.**

    a hora é ...... É
    b horas são ...... São
    c horas são ...... É
    d horas é ...... São

Cochez la phrase où les syllabes toniques sont correctement soulignées.

(99)

    a O João e a mulher gostam de passear
    b O João e a mulher gostam de passear
    c O João e a mulher gostam de passear
    d O João e a mulher gostam de passear

Cochez la phrase où les accents écrits sont correctement indiqués.

(100)

    a O avó do António está no café
    b O avô do António está no café
    c O avô do Antonio está no café
    d O avô do António esta no cafe

reports
précédents   **score final**

Nous donnons en regard de chaque numéro
en caractère gras, la **bonne réponse** au test.

① b. **O senhor mora em Lisboa e você, meu amigo, onde
vive ?**

Vous habitez à Lisbonne, monsieur, et vous, mon ami,
où vivez-vous ?

α. les verbes sont à la 2ᵉ pers. du singulier, réservée au
tutoiement. Ici, il y a vouvoiement.

c. les verbes sont à la 2ᵉ pers. du pluriel ; cette forme n'est
pas employée aujourd'hui pour traduire le vouvoiement,
s'adressant à une seule personne. C'est une forme
ancienne utilisée seulement pour un effet oratoire (ser-
mon, discours, etc.).

d. il s'agit bien de la 3ᵉ personne du singulier, utilisée dans
le vouvoiement, mais il y a erreur sur le mode du verbe :
vous avez employé le présent du subjonctif et non le présent de l'indicatif.

② c. **Ele chama-α ; ela não se levanta, mas responde-lhe.**

Il l'appelle ; elle ne se lève pas, mais elle lui répond.

α et d. *não levanta-se* : incorrect. Dans les propositions négatives le pronom personnel se place devant le verbe.

b. *a chama* : incorrect. Dans une proposition affirmative
(indépendante ou principale), le pronom se place après
le verbe (en enclise).

③ d. **Gostas do livro ? Vou comprá-lo.**

Aimes-tu le livre ? Je vais l'acheter.

α. *o comprar* : forme possible.

b. après un infinitif, le pronom compl. *o*, prend la forme
lo, et le *r* final disparaît.

c. le *a*, de la terminaison de l'infinitif *ar* porte un accent
aigu, après la disparition de *r*.

④ **c.** **O salário, pagam-lho amanhã.**
   Son salaire, on le lui paie demain.

a et **d.** *lhe o* et *lhe-o* : incorrect ; les deux pronoms doivent se contracter : *lho.*

b. *o lhe* : incorrect ; le pronom indirect *lhe* se place toujours avant le pronom pers. complément direct *o, a, os, as* et se contracte avec lui.

⑤ **b.** **Os cabelos, ela cortá-los-á.**
   Les cheveux, elle les coupera.

a. au futur, le pronom personnel se place entre l'infinitif du verbe (qui constitue le radical du futur) et la terminaison.

c. le pronom complément *o,* prend la forme *lo,* lorsqu'il se place après un *r,* et celui-ci tombe.

d. lorsque le pronom *o* se place après *ar,* il ne faut pas oublier d'écrire un accent aigu sur le a qui précédait le r avant sa disparition.

⑥ **d.** **Dou-lhe o presente que comprei para ele.**
   Je lui donne le cadeau que j'ai acheté pour lui.

a. *o* incorrect : il faut employer le pronom personnel indirect.

b. *a ele,* forme incorrecte.

c. impossible : *lhe* ne peut être employé après une préposition.

⑦ **b.** **Ela está connosco e falamos dele.**
   Elle est avec nous et nous parlons de lui.

a. les deux pronoms doivent se contracter avec la préposition : *com + nós = connosco ; de + ele = dele.*

c. incorrect : *connosco,* forme correcte au Portugal et *conosco* au Brésil.

d. *com nos* : incorrect. On ne peut employer les formes non accentuées des pronoms pers. compl. après une préposition : par ailleurs le pronom complément *nós* se contracte avec *com* (*connosco* et non *com nós*).

⑧ **c.** **Senhor Costa, recebo-o e pago-lhe o seu salário.**
Monsieur Costa, je vous reçois et je vous paie votre salaire.

a. on ne peut employer le pronom personnel complément *Vos* de la 2ᵉ pers., parce que le « vous » de vouvoiement demande l'emploi du verbe à la 3ᵉ pers. et les pron. personnels de la 3ᵉ pers.

b. *lhe* est bien un pron. personnel de la 3ᵉ pers., mais il est indirect. Il faut ici employer *o*, pron. pers. complément direct, avec un verbe transitif, (c.-à-d. gouvernant un complément direct). (Il s'agit du 1ᵉʳ *lhe*.)

d. *O* est bien un pron. de la 3ᵉ personne, mais c'est la forme directe, alors que ce verbe se construit avec un pron. indirect : il faut ici *lhe*. (Il s'agit du 2ᵉ *o*.)

⑨ **b.** **A emoção do pai é grande.**
L'émotion du père est grande.

a et **c.** tous les mots terminés par *ção* (correspondant aux mots français terminés par *tion*) sont féminins.

c et **d.** pour des êtres vivants, le genre est déterminé par le sexe. *Pai*, « père » est donc masculin.

⑩ **c.** **O calor é grande durante a viagem.**
La chaleur est grande pendant le voyage.

a et **d.** les mots terminés par *or* sont du masculin en portugais ; *o calor* = la chaleur.

b et **d.** tous les mots terminés par *em* sont du féminin : *a viagem* = le voyage.

⑪ **d.** **O pai é um artista ; a mãe é uma professora.**
Le père est un artiste ; la mère est (un) professeur.

a et **b.** les formes *artiste* ou *artisto* n'existent pas ; *artista* est une forme commune au masculin et au fém.

c. *professor*, se rapportant à la mère, prend la marque du féminin, comme tous les noms en *or* : *professora*.

⑫ **c. O dia está frio e a viagem é longa.**
Le jour est froid et le voyage est long.

a et **d.** *longo* est incorrect : *viagem* est féminin.
b et **d.** *fria* est incorrect : *dia* est masculin.

⑬ **a. A bandeira francesa é tricolor.**
Le drapeau français est tricolore.

b et **c.** il faut rajouter un *a* pour former le féminin de *francês*.
c. *tricolor* est un adjectif invariable au féminin.
d. le féminin de *francês (francesa)* ne porte plus d'accent écrit.

⑭ **d. O colega da estudante francesa é um rapaz bonito.**
Le camarade de l'étudiante française est un beau garçon.

a. *colega*, dont la forme est identique aux deux genres, est ici du masculin : *o colega é um rapaz* ; *estudante*, dont la forme est identique aux deux genres est ici féminin : *a estudante francesa*.
b. *a colega*, incorrect : voir réponse **a.**
c. *o estudante*, incorrect : voir réponse **a.**

⑮ **c. Os trabalhadores são portugueses.**
Les travailleurs sont portugais.

a. *português* n'est pas invariable, il doit se mettre au pluriel.
b. les adjectifs terminés par *ês* perdent l'accent sur le *e* au pluriel et au féminin.
d. cette forme n'existe pas. Le pluriel des mots terminés par *r* se forme en ajoutant *es*.

⑯ **b. Os barris são difíceis de descarregar.**
Les tonneaux sont difficiles à décharger.

a et **d.** un mot terminé par *il* tonique forme son pluriel en changeant le *l* en *s*.
c et **d.** un mot terminé par *il* atone, forme son pluriel en changeant *il* en *eis*.

⑰ **b.** **O Verão e a Primavera são estações agradáveis.**
L'été et le printemps sont des saisons agréables.

a et **c.** le pluriel de *estação* est *estações*.
d. le pluriel de *agradável* est *agradáveis*.

⑱ **c.** **O pai do João vive em Portugal, no Porto.**
Le père de Jean vit au Portugal à Porto.

a. *no Portugal* : incorrect ; on n'emploie l'article défini devant Portugal que si celui-ci est suivi d'un complément ou accompagné d'un adjectif (donc il faut employer *em* et non *no*).
b. *em Porto* : incorrect ; il faut employer l'article devant les noms de ville dont le nom a un sens commun (*o porto*, le port).
d. incorrect : *em o* est impossible ; il ne faut pas oublier de faire la contraction de la préposition *em* avec l'article *o* : *no*.

⑲ **a.** **Uma senhora espera amigos num café.**
Une dame attend des amis dans un café.

b. vous avez oublié la préposition *em* qui se contracte avec *um* en *num*.
c. incorrect : l'article indéfini se contracte avec la préposition *em = num café*.
d. incorrect : le féminin de *um* est *uma*.

⑳ **c.** **Ele gosta do seu professor e das suas explicações claras.**
Il aime son professeur et ses leçons claires.

a. incorrect : il faut employer l'article devant les possessifs : *o seu - as suas*. (Au Portugal, pas au Brésil).
b. incorrect : l'article employé devant le possessif se contracte avec la préposition *de* qui précède : *do seu, das suas*.
d. incorrect : *seus* est un pluriel ; impossible ici.

㉑ **c.** **Minha amiga, este casaco é teu ?**
Mon amie, ce manteau est-il à toi ?

    a. on ne peut employer l'article défini devant un possessif qui est placé devant un nom mis en apostrophe ; *minha senhora.*

    b. l'article défini est généralement omis devant un possessif en position d'attribut après le verbe « être » ; *o teu* est toutefois possible, mais avec un sens particulier.

    d. le possessif s'accorde avec *casaco (masc.)* et non avec le possesseur. Il faut donc employer le masculin *teu.*

㉒ **a.** **Senhor Castro, o isqueiro não é seu ; é dele.**
Monsieur Castro, ce briquet n'est pas à vous ; c'est à lui.

    b. erreur d'accord : *sua* est féminin ; *isqueiro* est un nom masculin.

    c. lorsqu'on vouvoie quelqu'un le possessif employé est celui de la troisième personne, donc *seu* et non *vosso.*

    d. *teu* correspondrait au tutoiement. Il faut employer *seu* pour le vouvoiement.

㉓ **a.** **Esses carros aí são carros de aluguer.**
Ces voitures-là sont des voitures de louage.

    b. *estes* indique ce qui est près de moi. Il est accompagné de l'adverbe de lieu *aqui* (ici).

    c. *aqueles* indique ce qui est très éloigné. Il est accompagné de l'adverbe de lieu *ali* (là).

    d. le pluriel de *esse* est *esses.*

㉔ **c.** **Vou sempre àquele café ali, naquela rua.**
Je vais toujours dans ce café, dans cette rue là-bas.

    a. *aquele* est le seul démonstratif possible pour désigner une chose très éloignée (*ali* = « là-bas »).

    b. les démonstratifs sont bien choisis, mais ils se contractent avec *a* et *em* : *àquele, naquela.*

    d. la contraction de *a* avec *aquele* est indiquée par un accent grave sur le *a* initial : *àquele.*

㉕ **d. É verdade, fomos nós que te convidámos.**
C'est vrai, c'est nous qui t'avons invité.

a. et **c.** le verbe *ser* se met au même temps et à la même personne que le verbe qui suit le *que* portugais.

b. l'accord du temps avec le verbe qui suit n'est pas res-
pecté (cf. **a**).

c. l'accord n'est pas fait avec le sujet (cf. **a**).

㉖ **d. Estes cigarros são os do meu irmão.**
Ces cigarettes sont celles de mon frère.

a. le pluriel de *este* est *estes*.

b. devant *de* et *que*, on n'emploie pas le démonstratif, mais
l'article défini *o(s), a(s)*.

c. l'article s'accorde en genre et en nombre avec le nom
auquel il se rapporte : *cigarros* est masculin.

㉗ **d. Há muitos turistas no centro da cidade que passeiam
pelas ruas.**
Au centre de la ville il y a beaucoup de touristes qui se
promènent dans les rues.

a. les prépositions *em* et *por* se contractent avec l'article
défini : *no-pelas*.

b. *nas ruas* est possible mais, lorsqu'il y a un mouvement
dans un lieu, il est préférable d'employer la préposition
por.

c. *ao* : impossible ; *a* ne peut être employé que lorsqu'il
y a un changement de lieu ; *por + as = pelas* ; *polas*
est une forme archaïque.

㉘ **d. Minha mãe fica em casa e eu vou à tua.**
Ma mère reste à la maison et moi je vais chez toi.

a. *na* est incorrect. On n'emploie pas l'article devant le mot
casa.

b. le deuxième *em* est incorrect ; avec un verbe de mouvement on emploie la préposition *a*.

c. *a* ne peut indiquer un lieu fixe ; *em* s'impose.

㉙ c. A mãe está lá em cima (contigo) ? Sei lá.
Maman est-elle en haut (avec toi) ? Je ne sais pas.

a. *encima* n'existe pas ; *em cima* (comme *em baixo*) s'écrit en deux mots.

b. *cá em cima* serait possible si le locuteur se trouvait au même endroit que la mère.

d. lorsqu'il s'agit d'une réponse évasive on ne peut employer que *lá*.

㉚ d. Vou no avião que passa por cima da cidade.
Je suis dans l'avion qui passe au-dessus de la ville.

a. *por cima* est préférable à *em cima*, car il y a mouvement dans un lieu.

b. incorrect : *acima* ne s'emploie que lorsqu'il y a changement de lieu.

c. cette forme n'existe pas.

㉛ c. Porque não esperaste por mim ?
Pourquoi ne m'as-tu pas attendu ?

a. *porquê,* est employé seul ; il n'est jamais suivi d'une phrase.

b. erreur de sens. *Para que* ne peut s'employer que si l'on interroge sur le but.

d. *Por que* est possible ; mais il est préférable d'écrire l'interrogatif *porque,* « pourquoi », en un seul mot.

㉜ a. A camioneta que vai para Faro passa aqui pelas oito.
Le car qui va à Faro passe ici vers huit heures.

b. *por as* se contracte : *pelas.*

c. s'il s'agit d'une destination on emploie *para* et non *a.*

d. seul *por* peut être employé pour exprimer l'approximation dans le temps (d'où *pelas*).

㉝ c. O senhor deu-me 500$00, aqui tem o troco.
Vous m'avez donné 500$00, voici la monnaie.

a. incorrect : *ali* indique un éloignement.

b. impossible.

d. incorrect : il faut ajouter le verbe *ter.*

(34) **d. Pensa na sorte que tens e aproveita a ocasião.**
Pense à la chance que tu as, et profite de l'occasion.

a. *pensar* se construit toujours avec *em*.

b. ne pas oublier de faire la contraction : *em + a = na*.

c. *aproveitar* se construit sans la préposition *de*.

(35) **d. Ele não tem lugar porque há muita gente.**
Il n'a pas de place parce qu'il y a beaucoup de monde.

a et c. le verbe avoir se traduit par *ter* lorsqu'il indique la possession. Donc *tem* s'impose dans le 1er cas.

b et c. l'expression « il y a » se traduit par *há (haver)* au Portugal. Au Brésil, *tem* est d'un emploi courant, donc **b** serait acceptable dans un contexte brésilien.

(36) **d. O Pedro está em Lisboa que é a capital de Portugal.**
Pierre est à Lisbonne qui est la capitale du Portugal.

a et c. « est » se traduit par *está* lorsqu'il s'agit d'un état (situation) passager *(está em Lisboa)*.

b et c. incorrect : « est » se traduit par *é* lorsqu'il s'agit d'une caractéristique fondamentale ou d'un état permanent *(Lisboa é a capital)*.

(37) **c. Portugal está situado à beira-mar e fica na Europa ocidental.**
Le Portugal est situé au bord de la mer et est en Europe occidentale.

a et d. il faut employer *está*, car le verbe « être » est employé avec un participe passé indiquant une situation permanente *(está situado)*.

b et d. *Está na Europa :* incorrect. Il s'agit d'une localisation définitive. Il est préférable d'employer *ficar* ou *ser* dans un tel cas.

③⑧ **a. Não estão contentes porque o trabalho é duro.**
Ils (elles) ne sont pas contents (contentes) parce que le travail est pénible.

b et **c.** *contente* indiquant un état d'humeur ne peut s'employer qu'avec *estar*.

c et **d.** *duro* indiquant une qualité fondamentale, on ne peut employer que *ser*.

③⑨ **c. A casa está construída à beira-mar ; foi construída por um bom arquitecto.**
La maison est construite au bord de la mer ; elle a été construite par un bon architecte.

a. il s'agit du résultat d'une action, donc *está construída*.
b. il s'agit ici d'une forme passive, donc *foi construída*.
d. incorrect : *está* (verbe) -*esta* (démonstratif).

④⓪ **b. O vendedor está a atender o cliente.**
Le vendeur sert le client.

a. *está atendendo* : cette forme est possible, mais d'un emploi rare au Portugal. Ce gérondif, couramment employé au Brésil, est une marque de régionalisme au Portugal (Alentejo, Algarve).
c. *ao* + infinitif indique deux actions simultanées. Il ne peut pas se construire avec *estar*.
d. impossible.

④① **c. Ele está a olhar para o rapaz que anda a vender jornais.**
Il est en train de regarder le garçon qui vend des journaux.

a. on ne peut pas employer *ser* plus le gérondif.
b. *está a vender* est possible mais indique une action qui est momentanément en train de se faire. Si on veut insister sur le déroulement de l'action (ici son métier) il faut employer *andar*.
d. il est impossible d'employer *andar* + le gérondif dans une action qui est en train de se dérouler momentanément, donc *está a olhar* s'impose ici.

㊷ **d. O comboio está para chegar.**
   Le train est sur le point d'arriver.

   a. *estar por* indique une action inachevée.
   b. construction impossible en portugais.
   c. *estar* ne peut être suivi directement d'un infinitif.

㊸ **c. Porque é que elas não vieram ontem ?**
   Pourquoi ne sont-elles pas venues hier ?

   a et **b.** incorrect : l'expression emphatique *é que* qui
   renforce un mot interrogatif est invariable.
   d. le mot interrogatif n'étant pas suivi de *é que* le sujet *elas*
   doit être inversé : *porque não vieram elas...*

㊹ **d. Tenho de arrumar a casa e tu tens de ir ao mercado.**
   Il faut que je range la maison et il faut que tu ailles au
   marché.

   a. incorrect : l'obligation personnelle s'exprime avec *ter
   de* plus infinitif.
   b. *haver de* indique une intention plus qu'une obligation.
   c. *dever* exprime plutôt une obligation morale.

㊺ **d. É preciso trabalhar na vida.**
   Il faut travailler dans la vie.

   a. *é preciso que* est suivi du subjonctif.
   b et **c.** *é preciso* est suivi de l'infinitif sans préposition.

㊻ **c. Hoje fico em casa, amanhã vou ao supermercado.**
   Aujourd'hui je reste à la maison, demain j'irai au super-
   marché.

   a. on ne peut employer l'imparfait avec *hoje*.
   b. *irei-le* futur est possible, mais avec un adverbe de temps
   on emploie plutôt le présent de l'indicatif pour indiquer
   une action future.
   d. *iria* est un conditionnel et non un futur.

㊼ **c.** **Sirva (você) já o café, não o traga frio.**
Servez tout de suite le café, ne l'apportez pas froid.

  a. *serve* et *traz* s'emploient lorsqu'on tutoie.

  b. incorrect : revoir la conjugaison des verbes en *ervir* et
le verbe irrégulier *trazer.*

  d. *servi* et *trazei* s'emploient avec *vós* (emploi rare).

㊽ **c.** **O telefone está a tocar. Quem será ?**
Le téléphone sonne. Qui cela peut-il être ?

  a. le doute ou l'hypothèse ne peut pas être exprimé par un
présent de l'indicatif.

  b. l'hypothèse, dans un contexte au présent, s'exprime par
le futur de l'indicatif.

  d. il manque l'accent aigu : *será.*

㊾ **c.** **Ele chegou e nós falámos-lhe.**
Il est arrivé et nous lui avons parlé.

  a. lorsqu'il s'agit d'une action passée, terminée, on ne peut
employer que le parfait (passé simple).

  b. certains passés composés français sont construits avec
le verbe "être". Le passé composé portugais est toujours
construit avec *ter* ou *haver.*

  d. *chegou* (3ᵉ pers. sing. parfait) et non *cheguei* (1ʳᵉ sing.) ;
falámos (1ʳᵉ pers. plur. parfait) et non *falamos* (1ʳᵉ pers.
du présent indicatif).

㊿ **d.** **Ontem eu fui à praia ; ele não pôde vir. Foi**
agradável.
Hier je suis allé à la plage ; il n'a pas pu venir. C'était
agréable.

  a. incorrect : *fui eu* (1ʳᵉ pers. sing.) et *non foi* (3ᵉ pers.
sing.)

  b. incorrect : *ele pôde* (3ᵉ pers. sing.) et non *pude*
(1ʳᵉ pers. sing.)

  c. incorrect : *pode* = présent de l'ind. (3ᵉ pers. sing.)

(51) **c.** **Eu tenho-o visto muito nestes últimos dias.**
Je l'ai beaucoup vu ces derniers jours.

a. lorsqu'il s'agit d'une action passée qui continue dans le présent on emploie le passé composé.

b et **d.** le pronom personnel qui accompagne le passé composé suit la règle générale de la place du pronom personnel complément, mais il se place en « enclise » après l'auxiliaire *ter : tenho-o visto. Eu o tenho visto* serait possible au Brésil.

(52) **a.** **Nunca fui ao Brasil. Gostava de lá ir.**
Je ne suis jamais allé au Brésil. J'aimerais y aller.

b. le présent de l'indicatif ne peut pas servir à exprimer un souhait (*gosto* est impossible : *gostava*).

c. *gostei* = parfait, le souhait s'exprime avec l'imparfait de l'indicatif.

d. *gostaria* est possible. Le conditionnel sert à exprimer un souhait, mais il est couramment remplacé par l'imparfait de l'indicatif, dans la langue parlée.

(53) **c.** **Ele disse-me ontem que os tinha encontrado.**
Hier il m'a dit qu'il les avait rencontrés.

a. possible. Le plus-que-parfait avec *haver* est une forme classique et littéraire au Portugal ; elle est d'usage courant au Brésil.

b. ici on ne peut employer que le plus-que-parfait et non pas le passé composé.

d. le participe passé conjugué avec *ter* ou *haver* est invariable (*tinha encontrado*).

(54) c. **A lâmpada estava acesa ; tinham-na acendido pouco antes.**
L'ampoule était allumée ; on l'avait allumée un petit peu avant.

a. avec *estar* on emploie la forme irrégulière du participe passé, lorsqu'un verbe a deux participes.
b. le participe passé conjugué avec *ter* ou *haver* est invariable *(tinha acendido* et non *tinha acendida).*
d. le participe passé conjugué avec *ser* ou *estar* s'accorde avec le sujet (*estava acesa,* et non pas *estava aceso*).

(55) d. **Acabada a manifestação, voltámos para casa.**
La manifestation étant finie, nous sommes rentrés à la maison.

a. dans une proposition participe le participe passé se place avant le nom qui est son sujet.
b. il s'agit ici d'un participe présent et non du participe passé.
c. incorrect.

(56) d. **Ele entrou a fumar um cigarro.**
Il rentra en fumant une cigarette.

a. incorrect.
b. possible : cette forme est employée au Brésil et dans le sud du Portugal.
c. incorrect.

(57) d. **Não saias. Quero que fiques em casa.**
Ne sors pas. Je veux que tu restes à la maison.

a. *ficas :* incorrect. Le verbe de la subordonnée est au subjonctif après un verbe indiquant une volonté *(fiques).*
b. *fiques* et non *fices.* Revoir le subjonctif présent des verbes terminés par *car* et *gar.*
c. la défense s'exprime avec le subjonctif présent *(não saias) ; saías* est l'imparfait de l'indicatif.

(58) d. **Sei que ele está doente, não penso que venha.**
Je sais qu'il est malade, je ne pense pas qu'il vienne.

a et **c.** *vem* est incorrect, ici on emploie le subjonctif.
b et **c.** *esteja* est incorrect ; ici on emploie l'indicatif.

⑤⑨ **c.** **Respondeu à pergunta como se soubesse.**
Il a répondu à la question comme s'il savait.

a et **d.** *como se* est toujours suivi de l'imparfait du subjonctif *(soubesse)*.

b. cette forme n'existe pas. Revoir l'imparfait du subjonctif de *saber*.

⑥⓪ **c.** **Se não houvesse sinais, haveria mais desastres.**
S'il n'y avait pas de feux, il y aurait plus d'accidents.

a et **d.** *se* est suivi de l'imparfait du subjonctif quand il y a un conditionnel dans la principale.

b. *havia* est possible. On peut en effet remplacer le conditionnel par l'imparfait de l'indicatif.

d. incorrect : il n'y a pas d'accent sur la terminaison *ia* à cette personne.

⑥① **b.** **Quando fizeres anos, convida-me.**
Quand ce sera ton anniversaire, invite-moi.

a. il faut employer le subjonctif futur après *quando* pour indiquer une action future, et non pas le subj. présent.

c. on n'emploie un futur de l'indicatif après *quando* que si la phrase est interrogative.

d. il s'agit ici de l'infinitif personnel et non pas du futur du subjonctif.

⑥② **c.** **É preciso nós reservarmos o hotel antes de fazermos a viagem.**
Il faut que nous réservions l'hôtel avant de faire le voyage.

a. incorrect : il faut ici employer l'infinitif personnel parce que le sujet de l'infinitif est différent de celui du verbe de la principale.

b. il ne faut pas confondre l'infinitif personnel avec le futur du subjonctif : *fizermos* : fut. subj. ; *fazermos* : infinitif personnel.

d. le subjonctif présent n'est possible qu'après *é preciso que*. Après *é preciso*, il faut l'infinitif (personnel ou impersonnel).

⑥③ **b. Anunciou que viria logo que pudesse.**
Il annonça qu'il viendrait dès qu'il pourrait.

a. le verbe de la principale étant au passé, il est impossible de trouver dans les subordonnées le futur de l'indicatif ou le futur du subjonctif.

c. *puder* est impossible, puisque la principale est au passé. L'imparfait du subjonctif s'impose (*pudesse*).

d. *virá* est impossible puisque la principale est au passé. Le conditionnel s'impose (*viria*).

⑥④ **b. Ele teria pago a conta se tivesse tido dinheiro.**
Il aurait payé l'addition s'il avait eu de l'argent.

a. on ne peut pas employer ici le futur du subjonctif, car il y a le conditionnel dans la principale.

c. incorrect : seul le plus-que-parfait du subjonctif est possible après *se* dans ce cas.

d. incorrect : il faut respecter la concordance des temps.

⑥⑤ **c. Por mais que ele estude, não faz progressos.**
Il a beau étudier, il ne fait pas de progrès.

a et **d.** le subjonctif est obligatoire.

b. la concordance des temps impose le présent du subjonctif.

⑥⑥ **d. Amanhã talvez haja menos gente.**
Demain, il y aura peut-être moins de monde.

a et **b.** l'emploi du subjonctif est obligatoire après *talvez*.

c. après *talvez* on n'emploie que le présent ou l'imparfait du subjonctif, jamais le subjonctif futur.

⑥⑦ **d. Dizem que neste prédio se vendem apartamentos.**
On dit que dans cet immeuble on vend des appartements.

a. *vendem* doit être à la forme pronominale.

b. les deux formes sont impossibles ici.

c. incorrect : dans ce cas la forme pronominale ne peut s'employer au pluriel (*Diz-se* ou *dizem* seulement).

68 **c. Quem é a pessoa que está contigo ?**
Qui est la personne qui est avec toi ?

a. le deuxième *quem* est incorrect ; *quem*, pronom relatif désignant une personne, est toujours précédé d'une préposition.

b et **d.** le premier *que* est incorrect ; le pronom interrogatif qui désigne une personne est *quem*.

69 **c. Quais são os motivos da tua vinda ?**
Quels sont les raisons de ta venue ?

a. le pluriel de *qual* est *quais*.

b. *qual* s'accorde en nombre avec le nom auquel il se rapporte.

d. incorrect.

70 **b. A casa cuja janela está aberta, é minha.**
La maison dont la fenêtre est ouverte est à moi.

a. il faut employer *cuja*.

c. *cujo* s'accorde avec le nom qui suit et dont il est le complément : « celui-ci » *(janela)* est féminin, donc *cuja*.

d. *cujo* n'est jamais suivi d'article.

71 **c. A floresta entre cujas árvores me perdi era densa.**
La forêt parmi les arbres de laquelle je me suis perdu était dense.

a. impossible.

b. impossible.

d. *cujo* n'est jamais suivi d'article.

72 **c. Havia momentos em que ele não queria falar.**
Il y avait des moments où il ne voulait pas parler.

a. *onde* s'emploie pour le lieu.

b. possible, mais lourd.

d. *quem* est un relatif réservé aux personnes.

⑦③ **a. Fui a Lisboa, posso falar da cidade.**
Je suis allé à Lisbonne, je peux en parler.

b. possible.

c. le pronom personnel représentant la ville est préférable au démonstratif neutre.

d. *dali* peut traduire « en » lorsqu'il s'agit d'un lieu d'où l'on vient.

⑦④ **d. Todas as crianças querem tudo o que vêem.**
Tous les enfants veulent tout ce qu'ils voient.

a. *todo* est incorrect ; seul est possible le pronom neutre *tudo*.

b. *tudas* n'existe pas ; *tudo* est invariable.

c. incorrect : *todas* doit être suivi de l'article défini, ici *as*.

⑦⑤ **a. Não tenho nenhum lápis.**
Je n'ai aucun crayon.

b. impossible : *ninguém* = personne.

c. incorrect : *lápis* est masculin.

d. incorrect : dans les phrases négatives on emploie *ne-nhum*.

⑦⑥ **b. Esta casa é maior e mais confortável do que aquela.**
Cette maison est plus grande et plus confortable que celle-ci.

a. *mais grande* est incorrect.

c. correct : on peut ici employer *que* ou *do que*.

d. incorrect : *maior* n'a pas de marque de féminin.

⑦⑦ **c. As laranjas são tão caras como os pêssegos.**
Les oranges sont aussi chères que les pêches.

a. pour le comparatif d'égalité le deuxième élément de comparaison est *como*.

b et **d.** devant un adjectif il faut employer *tão*.

⑦⑧ **a. Esta paisagem é a mais bonita que eu conheço.**
Ce paysage est le plus beau que je connaisse.

b. on emploie l'indicatif après un superlatif.

c. ici il s'agit de la 3e pers. du sing. du présent de l'indicatif.

d. *do que* est incorrect.

⑦⑨ **c. É uma cidadezinha de província, bonitinha.**
C'est une petite ville de province très jolie.

a. on emploie de préférence le suffixe *zinho* après un *e* muet.

b. *bonitazinha* est incorrect ; on emploie le suffixe *inho* pour les mots terminés par *a* et *o* atones.

d. *bonitainha* est incorrect : le suffixe *inho/a* se met à la place du *a* ou *o* qui termine le mot.

⑧⓪ **c. O homenzarrão dizia palavrões.**
Le grand gaillard disait des gros mots.

a. *palavrazões* est incorrect : les mots terminés par une voyelle atone forment l'augmentatif en substituant le suffixe *ão* à la voyelle *a*.

b. ne pas oublier la modification de *m* devant une consonne.

d. *homenzão* n'existe pas.

⑧① **d. Há já bastantes pessoas na sala.**
Il y a déjà assez de personnes dans la salle.

a. *bastante* n'a pas de marque de féminin.

b. *bastante* s'accorde au pluriel.

c. il n'y a pas de *de* après *bastante*.

⑧② **d. Ele próprio veio e até esperou por mim.**
Il est venu lui-même et il m'a même attendu.

a. possible.

b. le deuxième *mesmo* est incorrect.

c. *próprio* est incorrect.

⑧③ **c.** **Ele teve tantas visitas que ficou cansado.**
Il a eu tellement de visites qu'il est fatigué.

a. *tanto* suivi d'un nom s'accorde avec le nom.
b. *tão* est employé devant un adjectif, jamais devant un nom.
d. il ne s'agit pas d'une phrase comparative ; on ne peut donc employer *como*.

⑧④ **d.** **Estão aqui dois rapazes e duas raparigas.**
Deux garçons et deux filles sont ici.

a et **c.** *dois* s'accorde au féminin : *duas raparigas*.
b et **c.** au masculin : *dois rapazes*.

⑧⑤ **b.** **Em meia hora fiz o dobro do trabalho.**
En une demi-heure j'ai fait le double du travail.

a. *dobro* est toujours substantif.
c et **d.** *duplo* est toujours adjectif ; emploi impossible ici.

⑧⑥ **b.** **Ele não anda rapidamente, anda dificilmente.**
Il ne marche pas rapidement ; il marche difficilement.

a. l'adverbe se forme à partir du féminin de l'adjectif ; *rapidamente*.
c. *difícil* n'a pas de marque de féminin ; donc *dificilmente*.
d. *rapidmente* n'existe pas.

⑧⑦ **c.** **Dormiste bem ? Dormi.**
Tu as bien dormi ? Oui.

a. possible, mais peu courant ; on doit répéter le verbe qui a servi à poser la question à la personne et au temps qui conviennent.
b. il faut respecter le temps.
d. la réponse doit être donnée à la première personne.

⑧⑧ **d.** **Ela já tinha cinco filhos e teve mais um.**
Elle avait déjà cinq enfants et elle en a eu encore un.

a. incorrect : *mais* est mal placé.
b et **c.** incorrect.

⑧⑨ **b** et **c. Acontece (sucede) que me engano.**
Il arrive que je me trompe.

a et **d.** impossible : sens différent.

⑨⓪ **c. Doíam-lhe os pés.**
Il (elle) avait mal aux pieds.

a. le verbe s'accorde avec *pés,* il est donc au pluriel.
b. il manque le pronom *lhe* et le verbe doit être au pluriel.
d. la personne qui souffre est indiquée par un pronom personnel complément indirect 3e pers. sing. : *lhe.*

⑨① **d. Pergunta-lhe se quer vir connosco e pede-lhe o mapa.**
Demande-lui s'il veut venir avec nous et demande-lui la carte.

a. et **c.** le premier *pede-lhe* est incorrect ; ici c'est *pergunta-lhe* (sens de « poser une question » pour avoir une réponse).
b et **c.** on emploie *pedir* lorsque l'on demande un objet ou une action.

⑨② **c. Ele deu um passeio pela cidade.**
Il a fait une promenade dans la ville.

a. *fazer* ne peut être employé dans cette expression.
b. impossible.
d. *dei* est la 1re pers. du parfait, non la 3e.

⑨③ **c. Ela mandou fazer um vestido há dois dias.**
Elle a fait faire une robe, il y a deux jours.

a. *fazer* est impossible ici.
b. incorrect.
d. ici il s'agit du présent et non du parfait.

⑨④ **a. Vou de comboio, venho de avião.**
Je m'en vais par le train, je viens en avion.

b, c et **d.** incorrect : seule la préposition *de* est acceptable pour indiquer le moyen de transport.

⑨⑤ **d.** **O comboio acaba de partir.**
Le train vient de partir.

a et **c.** incorrect.

b. incorrect : *acabar* seul signifie « finir ».

⑨⑥ **c.** **O filho toca piano e o pai joga às cartas.**
Le fils joue du piano et le père joue aux cartes.

a. *tocar do* est incorrect : le verbe *tocar* n'est pas suivi de
préposition.

b et **d.** *joga piano* est incorrect : jouer de... (un instrument)
se traduit par *tocar*.

⑨⑦ **d.** **O Papa João vinte e três viveu no século vinte.**
Le pape Jean XXIII a vécu au XXe siècle.

a et **c.** *vigésimo terceiro* est incorrect.

b et **c.** incorrect : le cardinal *vinte* traduit ici XXe.

⑨⑧ **c.** **Que horas são ? É uma hora.**
Quelle heure est-il ? Il est une heure.

a et **d.** cette expression interrogative est toujours au pluriel.

b et **d.** réponses incorrectes : le verbe *ser* s'accorde avec le
chiffre *uma*, donc il est au singulier.

⑨⑨ **a.** **O Jo~ão e a mulher gost~am de passe~ar.**
Jean et sa femme aiment se promener.

b. la diphtongue *ão* est accentuée (tonique).

c. la terminaison *am* n'est pas accentuée (tonique).

d. les syllabes terminées par *r* sont accentuées (toniques).

⑩⑩ **b.** **O avô do António está no café.**
Le grand-père d'Antoine est au café.

a. *avó* est féminin (*o* ouvert) : *a avó*.

c. *António* : l'accent écrit indique la syllabe irrégulière-
ment accentuée. Cet accent est aigu au Portugal car le
o est ouvert ; il est circonflexe au Brésil car le *o* est fermé.
Portugal : *António*. Brésil : *Antônio*.

d. *está* et *café* : l'accent écrit indique la syllabe irréguliè-
rement accentuée : ici, la dernière syllabe.

RÉSULTATS et DIAGNOSTIC

→ **80 à 100/100 :** *très bonne connaissance* des structures, vous pouvez continuer à construire votre portugais sur un terrain solide.

→ **60 à 80/100 :** *bonnes connaissances.* Les fautes et incorrections que vous commettez ne vous empêchent pas de communiquer.

Certaines peuvent cependant déboucher sur l'incompréhension de vos auditeurs.

Vos incertitudes grammaticales sont surtout gênantes si vous avez besoin de manier la langue écrite où les fautes seront plus choquantes.

→ **40 à 60/100 :** *vous vous « débrouillez »* mais le manque de connaissances précises et claires risque de nuire à vos progrès ultérieurs.

→ **20 à 40/100 :** *connaissances trop floues.* Vous risquez de ne pas comprendre et de ne pas être compris, sans que vous sachiez pourquoi.

Certaines de vos fautes ne sont que des incorrections, d'autres vous empêchent de vous faire comprendre.

Votre bagage théorique est insuffisant. Il vous manque la connaissance claire ou la pratique automatique des règles de base, sans lesquelles vous ne serez jamais à l'aise en portugais.

Selon vos interlocuteurs et votre tempérament, vous pouvez communiquer plus ou moins ou pas du tout, mais une étude ou une révision solide s'impose.

→ **0 à 20/100 :** *vous vous en doutiez, il faut vous mettre au travail,* le présent fascicule (partie B) vous aidera. Mais un ouvrage de base (*le Portugais pour tous,* par exemple) paraît également nécessaire.

N'hésitez pas à revoir même ce que vous croyez connaître.

B - Explications et exercices

● Chacun des 100 points de grammaire de cette partie **B** — accompagnés d'exercices et de tests — correspond aux 100 tests de la partie **A** (et de la partie **C**).
Vous y trouverez les explications qui vous permettront de corriger vos erreurs et d'améliorer votre niveau.

● Quand vous aurez pris conscience de vos erreurs et compris les mécanismes que vous ignoriez, refaites les exercices qui vous sont proposés (et qui sont suivis de leur corrigé).

● Vous pourrez, à l'issue de ce travail, contrôler vos progrès en passant à la section **C** (contrôle) et en repassant une série de tests.

● **tu** (franç. *tu*) + verbe à la 2ᵉ personne du singulier : traitement réservé à des personnes avec lesquelles on a des relations d'amitié (très utilisé entre jeunes).

> **Vais ao cinema ?** Vas-tu au cinéma ? (cf. remarque 1 p. 56.)

● **vós** (franç. *vous*) + verbe à la 2ᵉ personne du pluriel : traitement courant à l'époque classique lorsque l'on s'adressait à une ou plusieurs personnes : n'est plus employé dans la langue courante : il est utilisé pour des effets oratoires (sermons, discours, etc.).

● **você** (franç. *vous*) + verbe à la 3ᵉ personne du singulier.
vocês (franç. *vous*) + verbe à la 3ᵉ personne du pluriel : traitement réservé à des personnes connues, voire d'un rang inférieur, que l'on vouvoie ou que l'on tutoie séparément.

● **o senhor** (*vous*, à un homme).
a senhora (*vous*, à une femme) + verbe à la 3ᵉ personne du singulier.
os senhores (*vous*, à plusieurs hommes, ou à des hommes et femmes).
as senhoras (*vous* s'adressant à des femmes) + verbe à la 3ᵉ personne du pluriel : traitement que l'on réserve à une ou plusieurs personnes que l'on respecte ou que l'on connaît peu.

> **O senhor vai ao cinema.** Vous allez au cinéma (homme).
> **As senhoras vão ao cinema.** Vous allez au cinéma (femmes).

→ **Attention :** si l'on connaît la personne, on peut faire suivre **senhor, senhores,** etc., du nom de famille, du prénom, de la fonction.

> **O senhor Pereira vai ao cinema.** Vous allez au cinéma, monsieur Pereira.
> **O senhor João vai ao cinema.** Vous allez au cinéma, monsieur Jean.
> **O senhor engenheiro vai ao cinema.** Vous allez au cinéma, monsieur l'ingénieur.

N.B. : en français le nom de famille (le prénom, la fonction) peut être indiqué en apostrophe.

● Si l'on s'adresse à une femme, mariée ou pas, que l'on connaît, on emploie **A senhora** + **Dona** + le prénom.

> **A senhora Dona Isabel vai ao cinema.** Vous allez au cinéma, Dona Isabel.

→ **Remarques :**

1) Il n'est pas toujours nécessaire d'employer ou de répéter **tu, você, vocês, o senhor, a senhora,** etc. si le discours est clair. Il suffira d'employer le verbe à la 2e pers. du sing. ou à la 3e pers. du sing. ou du pl., suivant le cas.

2) Les pronoms personnels compléments *(vous)* et les adjectifs possessifs *(vos, votre)*, devront être traduits par les pronoms personnels compléments de la 3e pers. **(o,a, os, as, lhe, lhes),** ou les possessifs de la 3e pers. **(seu, seus, sua, suas)** si *vous,* traduit par **você, vocês, o(s) senhor(es), a(s) senhora(s),** est suivi du verbe à la 3e pers. du sing. ou du pl. (à une dame) :

> **Je vous vois et je vous parle.** Vejo-a e falo-lhe.
>
> **Avez-vous votre manteau et vos gants ?** Tem o seu casaco e as suas luvas ?

3) Au Brésil, **você(s)** est d'un emploi courant. Il marque la familiarité ; il peut être l'équivalent de **tu,** sauf dans les régions où le tutoiement est employé (le Sud).

■ CONTROLE

Traduire

① **Toi Marie et toi Jean, allez-vous à l'école aujourd'hui ?**

② **Marie, pouvez-vous préparer le déjeuner ?**

③ **Mesdames et messieurs, vous pouvez entrer.**

④ **Chers concitoyens, vous connaissez certainement...**

■ CORRIGÉ

① **Maria e João, vocês vão hoje à escola ?**

② **A Maria pode fazer o almoço ?**

③ **Minhas senhoras e meus senhores podem entrar.**

④ **Caros concidadãos, vós sabeis certamente...**

● *Après le verbe (« enclise »)*, le pronom personnel complément est rattaché au verbe par un trait d'union :

→ dans les propositions *affirmatives* (indépendantes ou principales) :

> indép. : **Ele chama-a e ela responde-lhe.** Il l'appelle et elle lui répond.
>
> princ. : **Digo-lhe que venha.** Je lui dis de venir.

→ dans les propositions *interrogatives*, non précédées d'un mot interrogatif :

> **Chamas-te José ?** T'appelles-tu José ?

● *Devant le verbe (« proclise »)* :

→ dans toutes les propositions *négatives* :

> **Ela não se levanta.** Elle ne se lève pas.

→ dans les propositions *interrogatives*, introduites par un mot interrogatif :

> **Quem me chama ?** Qui m'appelle ?

→ dans *toutes* les propositions *subordonnées* :

> **Quero que lhe fales.** Je veux que tu lui parles.
>
> **Ele vem quando me vê.** Il vient quand il me voit.

● *Place mobile*, quand le pronom personnel est le complément d'un verbe à l'infinitif, quel que soit le type de proposition où il se trouve :

→ *après l'infinitif* (place la plus courante)

> **Posso falar-lhe.** Je peux lui parler.
>
> **Não posso falar-lhe.** Je ne peux pas lui parler.
>
> **Digo que posso falar-lhe.** Je dis que je peux lui parler.
>
> **Quem pode falar-lhe ?** Qui peut lui parler ?
>
> **Podes falar-lhe ?** Peux-tu lui parler ?

→ *devant l'infinitif* (plus rare), surtout au Brésil :

> **Posso lhe falar.** Je peux lui parler.
>
> **Não posso lhe falar.** Je ne peux pas lui parler.

→ *devant le verbe que complète l'infinitif* (possible) :

> **Não lhe posso falar.** Je ne peux pas lui parler.
>
> **Quem lhe pode falar ?** Qui peut lui parler ?
>
> **Gosto de lhe falar.** J'aime lui parler.

→ **Remarque :** au Brésil, surtout dans la langue parlée, le pronom personnel peut se placer devant le verbe, même dans les propositions affirmatives (indépendantes ou principales) :

> **Me diga** (au lieu de **Diga-me**). Dites-moi.

● *Place du pronom aux temps composés du passé.*
Lorsqu'un verbe est à *un temps composé du passé* (passé composé ou plus-que-parfait), le pronom personnel complément se place (dans les cas où l'« enclise » doit se faire) *après l'auxiliaire*, et non après le verbe :

> **Ele tinha-o visto ontem.** Il l'avait vu hier.
> **Não o tinha visto.** Il ne l'avait pas vu.

■ CONTROLE

Traduire

① L'as-tu vu aujourd'hui ?
② Non, je ne l'ai pas vu.
③ Tu me dis que tu ne le vois pas souvent.
④ Cette chanson, la connaissez-vous ?
⑤ Je voudrais l'entendre.

■ CORRIGÉ

① Viste-o hoje ?
② Não, não o vi.
③ Dizes-me que não o vês muitas vezes.
④ Esta canção, conhece-a ?
⑤ Gostava de a ouvir/gostava de ouvi-la.

● Les pronoms **o, a, os, as** (*le, la, les*), placés après le verbe (c.-à-d. en « *enclise* ») peuvent changer de forme :

→ ils prennent la forme **lo, la, los, las**, lorsqu'ils sont placés en enclise après un verbe terminé par **r, s,** ou **z** : —→ + *l*

Ele fá-lo hoje (faz + o).	Il le fait aujourd'hui.
Ele fê-lo ontem (fez + o).	Il l'a fait hier.
Tu canta-la (cantas + a).	Tu la chantes.
Tu dize-lo (dizes + o).	Tu le dis.
Vou comprá-lo (comprar + o).	Je vais l'acheter.
Vou bebê-lo (beber + o).	Je vais le boire.
Vou parti-lo (partir + o).	Je vais le casser.

Remarques :

→ *La consonne finale* du verbe disparaît, mais s'il s'agit d'un **r** ou d'un **z** :

— le **a** qui précède la consonne porte un accent aigu car il était accentué dans le verbe.

— le **e** qui précède la consonne porte un accent circonflexe car il était accentué dans le verbe.

→ La *même modification* s'opère, lorsque ces pronoms s'emploient *après l'adverbe* **eis**. Ex. : **Ei-lo**, *le voici*.

→ Ils prennent la forme **no, na, nos, nas**, lorsqu'ils sont placés en « *enclise* » cf B.2, après un verbe terminé par **m** ou une diphtongue nasale : —→ + *n*

Eles dizem-no. Ils le disent. **Eles põem-nos.** Ils les posent.

Remarque : il n'y a alors pas de modification du verbe.

● Lorsque **nos** (*nous*) est placé en « *enclise* » le verbe perd le **s** de la 1re pers. du pl. :

Nós levantamo-nos.   Nous, nous nous levons.

■ CONTROLE

Traduire

① (le livre) le père le pose sur la table ; ils l'ouvrent.
② (cet achat) fais-le aujourd'hui.
③ (ce cousin) nous le voyons souvent.
④ (ce renseignement) peux-tu le donner ?

■ CORRIGÉ

① (o livro) o pai põe-no na mesa ; eles abrem-no.
② (essa compra) fá-la hoje.
③ (esse primo) vemo-lo muitas vezes.
④ (esta informação) podes dá-la ?

Lorsque deux pronoms personnels sont compléments d'un verbe ils *se contractent*.

Le pronom indirect (**me, te, lhe, nos, vos, lhes**) se place en première position :

> **A carta, não lha mando.**
> La lettre, je ne la lui envoie pas.

me + o, a, os, as	mo, ma, mos, mas
te + o, a, os, as	to, ta, tos, tas
lhe + o, a	lho, lha
lhe + os, as	lhos, lhas
nos + o, a, os, as	no-lo, no-la, no-los, no-las
vos + o, a, os, as	vo-lo, vo-la, vo-los, vo-las
lhes + o, a	lho, lha
lhes + os, as	lhos, lhas

→ **Attention : lho** = *le lui, le leur* ; **lha** = *la lui, la leur*.
　　lhos, lhas = *les* (f. ou m.) *lui, les* (f., m.) *leur*.

→ **Remarque :** Les pronoms contractés (dits « consécutifs ») se placent avant ou après le verbe (en *« proclise »* ou en *« enclise »*, conformément à la règle générale (voir B.2).

> **A carta, ele mandou-ma ontem.**
> La lettre, il me l'a envoyée hier.
> **A carta, não ma mandou.**
> La lettre, il ne me l'a pas envoyée.

■ CONTROLE

Traduire

① (ces renseignements) il ne les lui a pas donnés.
② (ma voiture) on me l'a volée.
③ (ces livres) ils nous les rendent.
④ (les passeports) ils les leur ont retirés.

■ CORRIGÉ

① **estas informações, não lhas deu.**
② **o meu carro, roubaram-mo.**
③ **estes livros, devolvem-no-los.**
④ **os passaportes, tiraram-lhos.**

● Lorsque le verbe est au *futur* ou *au conditionnel*, le pronom se place *entre le radical du verbe* (l'infinitif) *et la terminaison* qui les caractérise ; il leur est relié par des traits d'union (*« mésoclise »*) :

Escrever-me-á.	Il m'écrira.
Falar-lhe-ias.	Tu lui parlerais.

● **Remarques :**

→ Le pronom se place en *« mésoclise »* (chaque fois qu'il se place *après le verbe* à d'autres temps) en suivant la règle générale de la place du pronom (voir B.2).

→ *Trois verbes sont irréguliers au futur.* Le radical à la suite duquel se place le pronom n'est alors pas l'infinitif complet :

dizer	**direi**	**dir-me-á**	il me dira
fazer	**farei**	**far-lhe-á**	il lui fera
trazer	**trarei**	**trar-te-ei**	je t'apporterai...

→ Dans tous les cas où les pronoms **o(s), a(s),** se placent après un **r** ne pas oublier qu'ils prennent alors les formes **lo(s), la(s)** et que le **r** disparaît (B.3) :

futur de **contar**	*conditionnel de* **beber**
contá-lo-ei (je le raconterai)	**bebê-lo-ia** (je le boirais)
contá-lo-ás (tu le raconteras)	**bebê-lo-ias** (tu le boirais)
contá-lo-á	**bebê-lo-ia**
contá-lo-emos	**bebê-lo-íamos**
contá-lo-eis	**bebê-lo-íeis**
contá-lo-ão	**bebê-lo-iam**

→ *Au futur et au conditionnel*, deux pronoms contractés se placent également entre l'infinitif et la terminaison.

Ele contar-mo-á.	Il me le racontera.
Contar-mo-ias.	Tu me le raconterais.

■ CONTROLE

Traduire

① Il nous le paierait, s'il le pouvait.
② La leçon, je te l'expliquerai.
③ Ce document, tu me le donneras.
④ La maison, il la vendra.

■ CORRIGÉ

① **Ele pagar-no-lo-ia, se pudesse.**
② **A lição, explicar-ta-ei.**
③ **Este documento, dar-mo-ás.**
④ **A casa, vendê-la-á.**

● *Lui, eux, elles :* renforcent le pronom sujet. Ils ne se traduisent pas. Il suffit d'employer *le pronom sujet*, qui n'est normalement pas utilisé, du moins au Portugal.

> **Lui, il est très content, mais eux ne le sont pas.**
> Ele está muito contente, mas eles, não estão.

● *Lui, leur, eux :* pronoms personnels, compléments indirects. Plusieurs traductions sont possibles :

Pronoms	sans préposition	après préposition	réfléchi
singulier : *lui/elle*	**lhe** (ms. fém.)	**(para) ele/ela**	**si**
pluriel : *leur* *eux/elles*	**lhes** (ms. fém.)	**(para) eles, elas**	**si**

Sans lui, je ne reste pas ici.	Sem ele, não fico aqui.
Je leur téléphone aujourd'hui.	Telefono-lhes hoje.
J'ai une commission pour eux.	Tenho um recado para eles.
Ils travaillent pour eux-mêmes.	Eles trabalham para si.

■ CONTROLE

Traduire
① **Je vais me promener avec lui.**
② **Ne lui dites pas que je partirai avec lui.**
③ **Lui, il ne m'a pas attendu.**

■ CORRIGÉ

① **Vou passear com ele.**
② **Não lhe diga que vou com ele.**
③ **Ele, não esperou por mim.**

● *Pronoms compléments après prépositions :*

Pronoms sujet	Complément après **para...**	Complément après **de, em**
eu	para mim	de, em mim
tu	para ti	de, em ti
ele	para ele	dele, nele
ela	para ela	dela, nela
nós	para nós	de, em nós
vós	para vós	de, em vós
eles	para eles	deles, neles
elas	para elas	delas, nelas

Remarques :

→ *après les prépositions,* on emploie les formes toniques des pronoms personnels compléments, proches des formes des pronoms sujets (**nós**, et non **nos, vós** et non **vos**).

> **Ele dá-nos o livro ; é para nós.**
> Il nous donne le livre, il est pour nous.

→ ne pas oublier la contraction de **ele(s), ela(s)** après les prépositions **de** et **em. De + ele = dele ; em + ele = nele.**

→ avec **com** *(avec)* : contraction des pronoms personnels compléments :

Singulier sujet	Complément	Avec **com**	Pluriel sujet	Complément	Avec **com**
eu	me	comigo	nós	nos	connosco (P.) conosco (Br.)
tu	te	contigo	vós	vos	convosco
ele, ela	se (réfl.)	consigo	eles, elas	se (réfl.)	consigo
ela, ela	lhe (non réfl.)	com ele, ela	eles, elas	lhes (non réfl.)	com eles, elas

Remarque : l'emploi du pronom avec **com** est délicat à la 3e personne.

Consigo :

→ traduit *avec vous* dans les formules de vouvoiement :
> **Está consigo.** Il est avec vous.

Au Brésil, on traduit par **com você**, ou **com o senhor** ;

→ traduit *avec elle, avec lui, avec soi*, quand le pronom est réfléchi, c'est-à-dire quand il représente la même personne que le sujet :
> **Ela levou o livro consigo.**
> Elle a emporté le livre avec elle.

→ **N.B. :** lorsque *avec lui (eux), avec elle(s)* ne sont pas réfléchis, c'est-à-dire qu'ils représentent une personne différente du sujet, ils se traduisent par **com ele(s), com ela(s)**
> **Ontem falei com ele.** Hier j'ai parlé avec lui.

■ CONTROLE

Traduire

① **Monsieur Santos, mon fils est-il avec vous ?**
② **Je pense à lui quand je le vois.**
③ **Jean est parti avec eux.**
④ **Elle a amené Manuel avec elle.**

■ CORRIGÉ

① **Senhor Santos, o meu filho está consigo (com o senhor) ?**
② **Penso nele quando o vejo.**
③ **O João foi com eles.**
④ **Ela trouxe o Manuel consigo (com ela).**

● Traduction du pronom complément *vous* :

→ Lorsque la traduction du *vous* de politesse, entraîne l'emploi du verbe à la 3e pers. du sing. ou du pluriel, le pronom personnel complément *vous* se traduit par :

— *le pronom personnel compl. direct* **o, a, os, as** *(le, la, les)*, si le verbe est *transitif* (c.-à-d. avec complément direct) :

> **Vejo-o.** Je vous vois *(un homme)*.
>
> **Vejo-a.** Je vous vois *(une femme)*.
>
> **Vejo-as.** Je vous vois *(des femmes)*.
>
> **Vejo-os.** Je vous vois *(des hommes, ou des hommes et des femmes)*.

— *le pronom personnel compl. indirect* **lhe, lhes,** si *vous* est un compl. indirect ou si le verbe est *intransitif* (c.-à-d. avec complément indirect) :

> **Falo-lhe.** Je vous parle *(à un homme ou une femme)*.
>
> **Falo-lhes.** Je vous parle *(à des hommes, ou à des femmes, ou aux deux)*.
>
> **Dou-lho.** Je vous le donne.

→ il ne peut se traduire par **vos** que dans des cas précis :

> **Vejo-vos et falo-vos.**
>
> Je vous vois et je vous parle
>
> *(à une personne, Dieu ou le Roi par exemple... ; à plusieurs personnes que l'on tutoie séparément).*

● Traduction du possessif *votre, vos* :

→ il se traduit par **seu(s), sua(s),** le possessif de la 3e personne, si la forme de traitement entraîne l'emploi du verbe à la 3e personne du singulier ou du pluriel.

> **Pedro, dê-me o seu casaco e as suas luvas.**
>
> Pierre, donnez-moi votre manteau et vos gants.

N.B. : le possessif s'accorde en genre et en nombre avec le nom qui suit ;

→ il peut se traduire par **vosso(s), vossa(s),** si :

— la forme de traitement entraîne l'emploi du verbe à la 2e personne du pluriel :

> **(Deus) dai-me a vossa protecção.** (Dieu) donnez-moi votre protection.

— le vouvoiement, entraînant l'emploi du verbe à la 3e personne du pluriel, s'adresse à plusieurs personnes (familier) :

Meus amigos, dêem-me os vossos casacos *(ou os seus)*
Mes amis, donnez-moi vos vestes.

N.B. : vosso impossible au singulier.
Pedro, dê-me o seu casaco.
Pierre, donnez-moi votre veste.

■ CONTROLE

Traduire

① **Ô Roi, écoutez vos sujets.**
② **Marie, je vous demande de me prêter votre voiture.**
③ **Mes amis, nous vous invitons avec vos épouses.**
④ **Jean, je vous demande votre avis.**

■ CORRIGÉ

① **Ó Rei, escutai os vossos súbditos.**
② **Maria, peço-lhe que me empreste o seu carro.**
③ **Meus amigos, convidamo-los com as suas (ou as vossas) esposas.**
④ **João, peço-lhe a sua opinião.**

Le genre des noms portugais ne correspond pas toujours au genre des mots correspondants en français :

Ex : **a viagem** *le voyage.*

Le genre des noms peut être indiqué :

● Par *la terminaison des noms*

→ les mots terminés par **o** atone sont masculins :

    o aluno l'élève   **o carro** la voiture

    o copo le verre

→ les mots terminés par **a** atone sont féminins :

    a aluna l'élève *(fém.)*   **a janela** la fenêtre

    a casa la maison

→ Mais il y a des exceptions :

o dia	le jour	**o mapa**	la carte
o planeta	la planète	**o problema**	le problème
o poeta	le poète	**o telefonema**	le coup
o clima	le climat		de téléphone

→ les mots terminés par **ão** sont masculins s'ils indiquent des noms concrets (sauf **a mão**) et féminins s'ils indiquent des noms abstraits :

noms concrets (masculins)		noms abstraits (féminins)	
o algodão	le coton	**a opinião**	l'opinion
o balcão	le comptoir	**a educação**	l'éducation
o feijão	le haricot	**a produção**	la production
o melão	le melon		
o pão	le pain		

→ **Remarque :** les mots terminés par **ção** (*tion* en français) sont toujours féminins :

    a acção   l'action

    a estação   la gare ou la saison

→ Les mots terminés en **ude et ade** sont féminins :

a virtude	la vertu	**a amizade**	l'amitié
a altitude	l'altitude	**a verdade**	la vérité
a cidade	la ville		

- *Par le sexe ou la fonction pour les êtres vivants :*

o pai	le père	**a mãe**	la mère
o homem	l'homme	**a mulher**	la femme
o boi	le bœuf	**a vaca**	la vache

- **N.B. :** sont toujours du genre féminin :

a vítima	la victime
a criança	l'enfant (fille ou garçon)
a testemunha	le témoin

- Les noms des *lacs*, des *rivières*, des *mers*, des *montagnes*, des *points cardinaux* et des *mois* sont du *masculin* :

  os Alpes, o Sena (la Seine), **o Atlântico, o Tejo** (le Tage), **o Sul** (le Sud), *etc.*

■ CONTROLE

Mettre l'article défini **o(s) - a(s)** devant les mots suivants :

① planeta
② estação
③ opinião
④ papel
⑤ testemunha
⑥ homem
⑦ pai

⑧ boi
⑨ mãe
⑩ problema
⑪ tia
⑫ noite
⑬ manhã
⑭ pão

⑮ melão
⑯ acção
⑰ algodão
⑱ professor
⑲ gato
⑳ mulher
㉑ mesa
㉒ poeta
㉓ Guadiana (rio).

■ CORRIGÉ

① **o planeta**	la planète	
② **a estação**	la saison, la gare	
③ **a opinião**	l'opinion	
④ **o papel**	le papier	
⑤ **a teste-munha**	le témoin (homme ou femme)	
⑥ **o homem**	l'homme	
⑦ **o pai**	le père	
⑧ **o boi**	le bœuf	
⑨ **a mãe**	la mère	
⑩ **o problema**	le problème	
⑪ **a tia**	la tante	
⑫ **a noite**	la nuit	
⑬ **a manhã**	le matin	
⑭ **o pão**	le pain	
⑮ **o melão**	le melon	
⑯ **a acção**	l'action	
⑰ **o algodão**	le coton	
⑱ **o professor**	le professeur	
⑲ **o gato**	le chat	
⑳ **a mulher**	la femme	
㉑ **a mesa**	la table	
㉒ **o poeta**	le poète	
㉓ **o Guadiana**	le Guadiana (fleuve)	

Un certain nombre de noms ont un genre différent en portugais.
Il faut donc faire attention à leur accord avec l'adjectif.

● Sont toujours du *féminin* les noms terminés :

→ par **gem** (français *age*) et **em** :

a viagem	le voyage	**a garagem**	le garage
a bagagem	les bagages	**a coragem**	le courage
a paragem	l'arrêt	**a nuvem**	le nuage

A garagem é cara. Le garage est cher.

→ sauf **personagem** qui peut être masculin ou féminin.

o personagem	le personnage (de théâtre)
a personagem	le personnage
o pajem	le page.

● Sont toujours du *masculin* les noms terminés par **or** (français *eur*).

o calor	la chaleur	**o ardor**	l'ardeur
o valor	la valeur	**o vapor**	la vapeur

Ex. **o vapor é branco.** La vapeur est blanche.

● sauf **a flor** (la fleur), **a cor** (la couleur).

→ Quelques *noms abstraits ou concrets* ont un genre qui n'est pas le même qu'en français. Pour certains, seul l'usage permet de les reconnaître (on ne peut les distinguer par le sexe ou la terminaison).

Féminin en portugais		Masculin en portugais	
a arte	l'art	**o mar**	la mer
a ponte	le pont	**o vale**	la vallée
a sorte	le sort	**o minuto**	la minute
a calma	le calme	**o segundo**	la seconde
a árvore	l'arbre	**o banco**	la banque
a pereira	le poirier	**o carro**	la voiture
a laranjeira	l'oranger	**o fim**	la fin
a macieira	le pommier	**o dote**	la dot
a cerejeira	le cerisier	**o par**	la paire
a nogueira	le noyer	**o mapa**	la carte
a oliveira	l'olivier		(géographie)
a couve	le choux	**o cometa**	la comète
a lebre	le lièvre	**o planeta**	la planète
a frente	le front	**o dente**	la dent
a faca	le couteau	**o prato**	l'assiette
		o garfo	la fourchette

→ **Attention : mar** est féminin dans les expressions
   preia-mar (marée-haute)   **baixa-mar** (marée-basse)

■ CONTROLE

Mettre l'article défini (**o, a**) devant les noms suivants :

1. calor
2. nuvem
3. couve
4. fim
5. planeta
6. cor
7. pajem
8. ponte

9. calma
10. vantagem
11. árvore
12. mapa
13. sorte
14. vale
15. cometa

■ CORRIGÉ

1. o calor
2. a nuvem
3. a couve
4. o fim
5. o planeta
6. a cor
7. o pajem
8. a ponte

9. a calma
10. a vantagem
11. a árvore
12. o mapa
13. a sorte
14. o vale
15. o cometa

● Les noms terminés par **o** changent ce **o** en **a** :

o **gato** (le chat)	→	a **gata** (la chatte)
o **aluno** (l'élève)	→	a **aluna** (l'élève)
o **pombo** (le pigeon)	→	a **pomba** (la colombe)

● Les noms terminés par **or** ou **s** (en fin de syllabe tonique) ajoutent un **a** :

o **cantor** (le chanteur)	→	a **cantora** (la chanteuse)
o **camponês** (le paysan)	→	a **camponesa** (la paysanne)
o **freguês** (le client)	→	a **freguesa** (la cliente)

● Les noms terminés par **ão** forment le féminin de trois façons :

- **oa** : o **patrão** (le patron) → a **patroa** (la patronne)
- **ã** : o **cidadão** (le citoyen) → a **cidadã** (la citoyenne)
- **ona** : o **solteirão** (le vieux garçon) → a **solteirona** (la vieille fille)

Exception :

o **barão** (le baron)	→	a **baronesa** (la baronne)
o **ladrão** (le voleur)	→	a **ladra** (la voleuse)

● Certains féminins représentant des personnes ou des animaux sont différents du masculin :

o **homem** (l'homme)	→	a **mulher** (la femme)
o **pai** (le père)	→	a **mãe** (la mère)
o **avô** (le grand-père)	→	a **avó** (la grand-mère)
o **rapaz** (le garçon)	→	a **rapariga** (la jeune fille)
o **galo** (le coq)	→	a **galinha** (la poule)
o **cavalo** (le cheval)	→	a **égua** (la jument)
o **rei** (le roi)	→	a **rainha** (la reine)

● Un certain nombre de noms ont la même forme au masculin et au féminin ;

o **colega**	→	a **colega** (le collègue/la collègue)
o **estudante**	→	a **estudante** (l'étudiant/l'étudiante)
o **cliente**	→	a **cliente** (le client/la cliente)
o **jovem**	→	a **jovem** (le jeune homme/la jeune fille)

■ CONTROLE

Mettre au féminin :
① **O estudante é um artista.**
② **Aquele homem é o pai do rapaz.**
③ **O frade foi colega do meu irmão**

■ CORRIGÉ

① **A estudante é uma artista.**
② **Aquela mulher é a mãe da rapariga.**
③ **A freira foi colega da minha irmã.**

- *Accord :* l'adjectif s'accorde *en genre* et *en nombre* avec le nom auquel il se rapporte :

a casa bonita	la jolie maison
as casas bonitas	les jolies maisons *(B.15)*
a viagem longa	le long voyage
o homem baixo	l'homme petit

- *Formation du féminin :*
→ Les adjectifs terminés par **o** changent le **o** en **a** au féminin (comme les noms) :

    belo (beau) → **bela** (belle)

→ Les adjectifs terminés par **ol, or, u** (précédés de consonne), **ês** (nationalité) rajoutent un **a** au féminin.

espanhol	→	**espanhola** (espagnol-espagnole)
abrasador	→	**abrasadora** (ardent-ardente)
cru	→	**crua** (cru-crue)
francês	→	**francesa** (français-française)

→ **Remarque :** au féminin les adjectifs terminés par **ês**, perdent l'accent circonflexe (B.100) :

    inglês → **inglesa**

→ **Attention : trabalhador → trabalhadeira** (travailleur-travailleuse)

- *Les adjectifs* terminés par **ão** forment le *féminin* en **ã** ou en **ona :**

são	→	**sã** (sain-saine)
chorão	→	**chorona** (pleureur-pleureuse).

- *Les adjectifs* terminés par **eu** forment le *féminin :*
→ en **eia :** (si le **e** de **eu** est fermé) ; **europeu** → **europeia**, mais : **judeu** → **judia** (juif-juive) ;
→ en **oa** (si le **e** de **éu**, est ouvert) : **ilhéu** → **ilhoa** (îlien-îlienne).

- *Quelques adjectifs sont irréguliers au féminin :*

    bom (bon) → **boa** (bonne) ; **mau** (mauvais) → **má** (mauvaise).

B.12 - L'accord de l'adjectif et la formation du féminin (suite)

→ **Remarque** (prononciation) :

le **o** tonique de certains adjectifs, fermé au masculin, s'ouvre au féminin :

formoso	→	formosa (beau-belle)
grosso	→	grossa (épais-épaisse)
morno	→	morna (tiède)
morto	→	morta (mort-morte)
disposto	→	disposta (disposé-disposée).

■ CONTROLE

Mettre au féminin :

1. inglês
2. europeu
3. ilhéu
4. judeu
5. espanhol
6. trabalhador
7. mau
8. abrasador
9. nu
10. bonito

Traduire

1. Le poète portugais écrit un beau poème.
2. Le garage est vaste.
3. La nuit est froide.

■ CORRIGÉ

1. inglesa
2. europeia
3. ilhoa
4. judia
5. espanhola
6. trabalhadeira
7. má
8. abrasadora
9. nua
10. bonita

1. O poeta português escreve um belo poema.
2. A garagem é vasta (grande).
3. A noite está fria.

Quelques adjectifs n'ont pas de marque de féminin.

● Ceux *terminés par* e :

Esta maçã é verde	Cette pomme est verte.
Este livro é verde.	Ce livre est vert.

● Ceux *terminés par une consonne* (sauf quelques exceptions) :

o filho jovem	le jeune fils
a filha jovem	la jeune fille
o pai feliz	le père heureux
a mãe feliz	la mère heureuse
o filho exemplar	le fils exemplaire
a filha exemplar	la fille exemplaire
o bilhete simples	le billet simple
a ida simples	l'aller simple
o senhor cortês	le monsieur courtois
a senhora cortês	la dame courtoise

● **Exception :**

→ Les adjectifs indiquant une *nationalité* terminés par **ol** ou **ês** et qui ajoutent **a** au féminin :

É um estudante espanhol ou inglês
É uma estudante espanhola ou inglesa.

→ **Remarque :** les adjectifs terminés par **ês** perdent l'accent au féminin : **inglês/inglesa** (B.100)

● Les *comparatifs irréguliers* terminés par **or,** et les **adjectifs composés** de **color :**

maior plus grand		**menor** plus petit	
melhor meilleur		**pior** pire	
exterior extérieur		**interior** intérieur	
superior supérieur		**inferior** inférieur	

A fachada exterior é bicolor.
La façade extérieure est bicolore.

■ CONTROLE

Mettre au féminin les adjectifs suivants :

① azul
② capaz
③ contente
④ feroz
⑤ melhor

⑥ grande
⑦ abrasador
⑧ bonito
⑨ simples
⑩ quente

Traduire la phrase : Cette jeune française fait un voyage long, mais agréable.

■ CORRIGÉ

① azul
② capaz
③ contente
④ feroz
⑤ melhor

⑥ grande
⑦ abrasadora
⑧ bonita
⑨ simples
⑩ quente

Esta jovem francesa, faz uma viagem longa, mas agradável.

Certains noms présentent des particularités :

● *Une seule forme pour deux genres :* le genre (correspondant au sexe) est indiqué par l'article.

    o/a artista   l'/l'artiste
    o/a turista   le/la touriste
    o/a estudante   l'étudiant(e)

    o artista italiano → a artista italiana.

● *Un seul genre :*

    a criança l'enfant (masc. ou féminin).

● *Une seule forme*, mais un *changement de sens* avec le changement de genre :

	masculin		féminin
o capital	le capital	**a capital**	la capitale
o moral	le moral	**a moral**	la morale
o polícia	le policier	**a polícia**	la police
o cura	le curé	**a cura**	la cure, la guérison

● Le même nom existe dans les deux genres, mais avec des nuances différentes :

le *masculin* indique :		le *féminin* indique :	
a) un objet individuel ou au singulier :		a) une pluralité ou un ensemble :	
o fruto	le fruit	**a fruta**	les fruits comestibles
o ramo	la branche	**a rama**	le branchage
o ovo	l'œuf	**a ova**	le frai, les œufs de poissons.
b) un sens figuré du féminin *usual*.		b) le sens propre :	
o cabeço	le sommet d'un monticule	**a cabeça**	la tête
o veio	le filon (pierre), le filet (d'eau)	**a veia**	la veine.

■ CONTROLE

Traduire

1. **La branche de l'arbre a des feuilles.**
2. **Je vois les fruits dans le branchage**
3. **Le moral du policier est bon.**

■ CORRIGÉ

1. **O ramo da árvore tem folhas.**
2. **Vejo a fruta na rama.**
3. **O moral do polícia é bom.**

Le pluriel des noms et des adjectifs se forme en ajoutant :

● **s** pour les *mots terminés par une voyelle* (atone ou tonique) :

→ *atone* :

o livro → **os livros**	**a casa** → **as casas**
A árvore é alta e verde	→ **As árvores são altas e verdes**
L'arbre est haut et vert	→ Les arbres sont hauts et verts

→ *tonique* :

o café → **os cafés**

o avô → **os avôs**   le grand-père-les grands-pères

→ **Remarque :** dans certains adjectifs, comprenant deux **o** dans la terminaison, le premier **o** qui est fermé s'ouvre au pluriel et au féminin (B.12) :

formọso beau → **formọsa(s)** ; **formọsos.**

● **es** pour les mots terminés par :

→ une *consonne* autre que **m** ou **l** :

O rapaz é trabalhador.	Le garçon est travailleur.
Os rapazes são trabalhadores.	Les garçons sont travailleurs.

→ par la *consonne* **s** ou **es** dans une syllabe tonique :

português → **portugueses**   **o país** → **os países** pays

o ananás → **os ananases.**

→ **Remarque :** l'accent écrit disparaît au pluriel comme au féminin (sauf pour la terminaison **ís**)

● Sont *invariables* les mots terminés par la consonne **s** et **es** dans une syllabe atone :

simples simple *pl.* **simples.**	**o lápis** le crayon *pl.* **os lápis**
o atlas l'atlas *pl.* **os atlas**	**o cais** le quai *pl.* **os cais**

■ CONTROLE

Traduire

① **Les ananas sont des fruits savoureux.**
② **Les jeunes gens attendent sur les quais du port.**

■ CORRIGÉ

① **Os ananases são frutos saborosos**
② **Os rapazes estão à espera nos cais do porto**

● Les mots terminés par **m** changent le **m** en **ns** au pluriel.
    A nuvem é branca.   Le nuage est blanc.
    As nuvens são brancas. Les nuages sont blancs.

● Les mots terminés par **l** : le **l** devient **is** au pluriel. Plusieurs cas :

→ **al, ul, ol** deviennent **ais, uis** et **óis** :
        o animal   → os animais
        azul   → azuis
        o caracol escargot → os caracóis

  Attention à l'accent sur le **o** des pluriels en **óis**.

→ **el** et **il** : il faut considérer :
  el et **il** en syllabe tonique : **éis** et **is** au pluriel :
      papel papier → **papéis**   **barril** tonneau → **barris**

  el et **il** en syllabe atone ; **eis** au pluriel :
      amável aimable → **amáveis**   **útil** utile → **úteis**.

■ CONTROLE

Traduire
① **Les voyages sont utiles mais fatigants.**
② **Les tonneaux de vin sont sur le quai.**
③ **Les papiers sont bleus, jaunes et verts.**

■ CORRIGÉ

① **As viagens são úteis mas cansativas**
② **Os barris de vinho estão no cais**
③ **Os papéis são azuis, amarelos e verdes.**

Il existe trois pluriels possibles :

● **ões** : la plupart des mots changent au pluriel **ão** par **ões** :

a estação → as estações la saison *ou* la gare
a lição → as lições la leçon
a opinião → as opiniões l'opinion

→ **N.B.** : cette catégorie est la plus courante. Elle comprend notamment :

→ les mots terminés par **-ção** (souvent **-tion** en français),
→ les augmentatifs formés avec le suffixe **ão** :

a faca le couteau → **o facão** - **os facões** le grand couteau.

● **s** : quelques mots ajoutent un **s** à la terminaison **ão** :

a mão → as mãos les mains
o irmão → os irmãos les frères
o cidadão → os cidadãos les citoyens

→ **N.B.** : c'est toujours le cas pour les mots monosyllabiques :

o grão → os grãos les grains
são → sãos sains
vão → vãos vains.

● **ães** : quelques mots remplacent **ão** par **ães** :

o cão → os cães les chiens
o pão → os pães les pains
o capitão → os capitães les capitaines
alemão → alemães allemands

● **Remarque** : quelques mots en **ão** n'ont pas encore de forme fixe au pluriel. Ils admettent plusieurs formes mais ont tendance à utiliser plus fréquemment le pluriel le plus usité pour les mots en **ão**, à savoir **ões** :

o aldeão → aldeãos - aldeões - aldeães villageois
o anão → anãos - anões nains
o Verão → os Verãos - os Verões étés

■ CONTROLE

Donnez le pluriel de :

1. coração
2. balão
3. botão
4. eleição
5. nação
6. leão
7. casarão
8. paredão
9. irmão
10. grão
11. mão
12. cidadão
13. cão
14. alemão
15. catalão
16. escrivão (greffier)
17. corrimão
18. Verão

■ CORRIGÉ

1. corações
2. balões
3. botões
4. eleições
5. nações
6. leões
7. casarões
8. paredões
9. irmãos
10. grãos
11. mãos
12. cidadãos
13. cães
14. alemães
15. catalães
16. escrivães
17. corrimãos ou corrimões
18. Verãos ou verões

● Les formes de l'article défini :

	Singulier	Pluriel
Masculin	o	os
Féminin	a	as

L'article se contracte avec les prépositions :

	Masc. sing. pl.		Fém. sing. pl.	
a + o, a	ao	aos	à	às
de + o, a	do	dos	da	das
em + o, a	no	nos	na	nas
por + o, a	pelo	pelos	pela	pelas

● Emploi de l'article devant les noms propres :

→ *devant les prénoms :* l'emploi de l'article défini est très courant dans la langue parlée ;

    O João e a Maria. Jean et Marie

→ *devant les noms de famille*, on l'emploie pour marquer la familiarité :

    O Costa telefonou-me.
    Costa m'a téléphoné.

→ *devant* **Senhor** *Monsieur,* **Senhora** *Madame,* **Senhorita** (au Brésil : *Mademoiselle*), suivi ou non du nom de famille, il est d'un emploi courant :

    O senhor Silva trabalha muito.
    Monsieur Silva travaille beaucoup.

→ **N.B. :** l'article n'est pas employé lorsqu'il y a apostrophe :

    Senhor Silva, não o posso receber.
    Monsieur Silva, je ne peux pas vous recevoir.

Emploi devant les noms géographiques
On emploie l'article :

● devant les *noms de pays*, sauf les pays suivants :
Portugal, Angola, Moçambique, Cabo Verde, S. Tomé e Principe, Macau, Timor, Andorra, Israel.

    Portugal e a França são países da Europa.
    Le Portugal et la France sont des pays d'Europe.

→ **N.B. :** l'article est cependant possible devant ces exceptions si le nom du pays est accompagné d'un adjectif ou d'un complément :

> **O Portugal do Sul é quente.**
> Le Portugal du Sud est chaud.

→ On peut omettre l'article devant **Espanha, França, Inglaterra** et **Itália,** lorsque ces noms de pays sont précédés d'une préposition :

> **Vivo em França.** Je vis en France.

● devant les *noms de villes et d'îles*, seulement si les noms ont par ailleurs un sens commun :

> **A Madeira é uma ilha** (**a madeira** = le bois)
> Madère est une île.
> **O Porto é a segunda cidade do país** (**o porto** = le port).
> Porto est la seconde ville du pays.

→ mais **Lisboa é a capital.** Lisbonne est la capitale.

→ **N.B. :** l'article sera toutefois employé devant ces noms, qui ne l'admettent normalement pas, si ceux-ci sont précisés par un adjectif ou un complément de nom :

> **A Lisboa da minha infância.** Lisbonne de mon enfance.
> *ou aussi :* La Lisbonne de mon enfance.

■ CONTROLE

Traduire

① M. Costa est à la maison.
② Vous pouvez entrer, monsieur Pereira.
③ Marie vit au Portugal, elle est de Guarda, mais elle habite Lisbonne.
④ Le Portugal des Découvertes était riche.

■ CORRIGÉ

① **O senhor Costa está em casa.**
② **O senhor Pereira pode entrar.**
   ou **Pode entrar, Senhor Pereira.**
③ **A Maria vive em Portugal, ela é da Guarda mas mora em Lisboa.**
④ **O Portugal dos Descobrimentos era rico.**

● *Les formes de l'article indéfini :*

	singulier
masculin	**um**
féminin	**uma**

L'article indéfini n'a pas de forme propre au pluriel, il suffit de mettre le nom au pluriel :

> **um livro** → **livros** des livres.
>
> **uma casa** → **casas** des maisons.

→ **N.B.** : les formes **uns** et **umas** signifient *quelques* (non pas *des*) :

uns livros quelques livres   **livros** des livres.
umas mesas quelques tables   **mesas** des tables.

→ Attention : ne pas confondre les différentes valeurs de *des* :
— *des* (pluriel de *un*) : des livres   **livros.**
— *des* (pluriel de *du*) : les livres des élèves.
> **os livros dos** *(contraction* **de+os***) alunos.*

● *Les contractions de l'article indéfini avec* **de, em :**
Ces contractions ne sont pas systématiques, contrairement à ce qui se passe pour l'article défini :

	masculin		*féminin*	
	sing.	*pl.*	*sing.*	*pl.*
de um	**dum**	**duns**	**duma**	**dumas**
em um	**num**	**nuns**	**numa**	**numas**

● *Omission de l'article indéfini :* elle est fréquente devant les indéfinis lorsque ceux-ci précèdent le nom :

> **semelhante** semblable, **certo** certain, **outro** autre, **qualquer** quelconque, **tanto** tant, **igual** tel, égal
> **Semelhante argumento não é bom** *(ou* **um argumento semelhante***).*
> *Un argument semblable n'est pas bon.*

● l'article partitif *(du, de la)* devant un complément, ne se traduit pas :

> **Bebo água e como pão.**
> Je bois de l'eau et je mange du pain.

■ CONTROLE

Traduire

① Tu m'as déjà donné une excuse semblable.
② Je veux de la viande pour des chiens.
③ La radio donne des nouvelles des pays voisins.

■ CORRIGÉ

① Tu, já me deste uma desculpa semelhante/tu já me deste semelhante desculpa.
② Quero carne para cães.
③ A rádio dá notícias dos países vizinhos.

masculin		féminin	
singulier	*pluriel*	*singulier*	*pluriel*
(o) meu	(os) meus	(a) minha	(as) minhas
(o) teu	(os) teus	(a) tua	(as) tuas
(o) seu	(os) seus	(a) sua	(as) suas
(o) nosso	(os) nossos	(a) nossa	(as) nossas
(o) vosso	(os) vossos	(a) vossa	(as) vossas
(o) seu	(os) seus	(a) sua	(as) suas

● *Emplois du possessif*

→ *Les possessifs s'accordent en genre et en nombre avec ce qui est possédé :*

A minha mala. Ma valise.

O meu problema. Mon problème.

→ *Les adjectifs et les pronoms prossessifs ont la même forme :*

O meu vestido é azul ; o teu é verde.

Ma robe est bleue ; la tienne est verte.

→ *L'article défini précède le possessif, lorsque celui-ci précède le nom :*

O carro do meu amigo está na nossa rua.

La voiture de mon ami est dans notre rue.

N.B. : *Ne pas oublier de faire les contractions de l'article avec les prépositions qui précèdent* (**de, em, a, por**).

Au Brésil, l'article est généralement omis devant le possessif, surtout dans la langue parlée :

Meu carro está na rua.

Ma voiture est dans la rue.

● *Non-emploi du possessif :* on peut faire l'économie du possessif, lorsque le rapport de possession est évident :

Ele veio com os filhos. Il est venu avec ses enfants (les siens).

A mãe está à minha espera. Ma mère m'attend.

● *Emploi de l'article indéfini :* il est possible avec les possessifs (avant ou après) :

Um amigo meu ou **um meu amigo.** Un de mes amis.

■ CONTROLE

Traduire

1. Son stylo et son cahier sont sur la table.
2. Il parle avec son père.
3. Je passe mes vacances avec ma famille dans ma propriété.

■ CORRIGÉ

1. A sua caneta e o seu caderno estão em cima da mesa.
2. Ele está a falar com o pai.
3. Passo as férias com a minha família na minha propriedade.

L'article défini, normalement employé devant le possessif, au Portugal, peut être omis dans des cas précis :

→ devant *un nom mis en apostrophe* :
> **Meu amigo, sente-se.** Mon ami, asseyez-vous.

→ devant *un possessif en position d'attribut* :
> **A culpa é nossa.** C'est notre faute.
> **O livro é meu.** Ce livre est à moi.

N.B. : lorsque l'article est employé dans ces cas-là, il y a un désir d'insistance, le désir de distinguer un objet ou une personne parmi d'autres :
> **O livro é o meu.** Ce livre, c'est le mien.

→ lorsque *le possessif est placé après le nom*, dans un désir d'insistance :
> **Ele esperava notícias minhas.**
> Il attendait de mes nouvelles.

→ dans certaines *expressions toutes faites* :
> **em minha opinião** à mon avis
> **a meu ver** à mon avis
> **a meu pedido** à ma demande
> **por sua causa** à cause de lui (de vous)
> **em seu nome** en son (votre) nom.

■ CONTROLE

Traduire

1. **Mon cher ami, cette voiture est à moi.**
2. **Il est venu à ma demande.**
3. **Cette voiture-ci, c'est la mienne.**

■ CORRIGÉ

1. **Meu caro amigo, este carro é meu.**
2. **Veio a meu pedido.**
3. **Este carro é o meu.**

● *Le possessif* **seu (s), sua (s)** (3e pers.) s'emploie *en priorité* dans les *formules de vouvoiement* pour traduire *votre, vos* :

> **Dê-me o seu casaco.** Donnez-moi votre manteau.
> **Empreste-me a sua caneta.** Prêtez-moi votre stylo.

● Le possessif français de la 3e pers., *son, sa, ses, leur(s)* peut être traduit de plusieurs façons :

→ *il peut être omis*, si le rapport de possession est évident (c.a.d. si le sujet du verbe et le possesseur sont la même personne) :

> **Tinha o livro de cheques no bolso.**
> Il avait son carnet de chèques dans sa poche.

→ il peut être traduit par **seu(s), sua(s)** (3e pers.) lorqu'il n'y a dans le contexte aucun risque de confusion avec *votre* :

> **Dou-te o seu livro de cheques.**
> Je te donne son carnet de chèques.

→ il peut être *omis et rappelé* par des pronoms personnels **(dele, deles, dela, delas,** plus courants, ou **lhe, lhes)** lorsque le possesseur est différent du sujet du verbe :

> **Tinha o livro de cheques dele no meu bolso** (dele *ou* dela, *suivant que le possesseur est un homme ou une femme).*
> J'avais son carnet de chèques dans ma poche.
> **Espero a carta deles (delas). Via-lhes o rosto.**
> J'attends leur lettre.   Je voyais leur visage.
> **Ouvia-lhe a voz.** J'entendais sa voix.

■ CONTROLE

Traduire
1. **Montrez-moi votre passeport.**
2. **Il jouait avec ses frères et sœurs.**
3. **J'ai passé mes vacances dans sa maison (de Maria).**
4. **Ils ont fait le voyage dans leur voiture.**

■ CORRIGÉ

1. **Mostre-me o seu passaporte.**
2. **Ele brincava com os irmãos.**
3. **Passei as férias em casa dela.**
4. **Eles fizeram a viagem no carro deles.**

● Il existe trois démonstratifs :

adverbes de lieu	pronoms personnels sujet	démonstratifs		
		masc. sing. (pl.)	fém. sing. (pl.)	neutre
aqui (ici) **aí** (là) **ali** (là-bas)	1ʳᵉ : **eu, nós, tu, vós** 2ᵉ : **você(s)** 3ᵉ : **ele(s) ela(s)**	**este(s) esse(s) aquele(s)**	**esta(s) esta(s) aquela(s)**	**isto isso aquilo**

● Morphologie :

→ *adjectifs et pronoms démonstratifs* ont la même forme.

Este livro.   **O meu livro é este.**
Ce livre,   Mon livre est celui-ci.

→ *Le pluriel se forme en rajoutant* **s** :

Este livro. Ce livre.   **Estes livros.** Ces livres.

→ Il existe un pronom neutre invariable :

Isto é bonito ; isso é feio ; não vejo aquilo.
Ceci est beau ; cela est laid ; je ne vois pas ce qui est là-bas.

● Emploi :

Les démonstratifs ont des valeurs précises de désignation dans l'espace ou dans le temps :

→ **este** désigne *ce qui est près de moi* (1ʳᵉ pers.), ou *ce qui vient d'être dit* ; il désigne donc *ce qui est tout près.*

→ **esse** désigne ce *qui est près* de l'interlocuteur, donc *près de toi* ou de *vous* (2ᵉ, 3ᵉ pers.). C'est un espace intermédiaire.

→ **aquele,** désigne *ce qui est loin de deux interlocuteurs,* donc *près de lui* (3ᵉ pers.). Il indique aussi *ce qui a été dit il y a très longtemps.*

→ **N.B. :** les démonstratifs peuvent être associés avec des possessifs en tenant compte de ces valeurs :

Este livro é meu ; esse é teu e aquele é dele.
Ce livre-ci est à moi ; celui-là à toi ; celui là-bas à lui.

■ CONTROLE

Traduire

① **Montre-moi ce livre que tu as là.**
② **Ce train-ci va à Paris. Cet autre va à Porto et celui là-bas à Lisbonne.**

■ CORRIGÉ

① **Mostra-me esse livro.**
② **Este comboio vai para Paris. Esse aí vai para o Porto e aquele para Lisboa.**

● Les démonstratifs se contractent avec les prépositions **de, em, a.**

	de	**em**	**a**
masc.	**deste(s)**	**neste(s)**	
fém.	**desta(s)**	**nesta(s)**	
neutre	**disto**	**nisto**	
masc.	**desse(s)**	**nesse(s)**	
fém.	**dessa(s)**	**nessa(s)**	
neutre	**disso**	**nisso**	
masc.	**daquele(s)**	**naquele(s)**	**àquele(s)**
fém.	**daquela(s)**	**naquela(s)**	**àquela(s)**
neutre	**daquilo**	**naquilo**	**àquilo**

→ **N.B.** seul **aquele** se contracte avec la préposition **a.**

● *Quelques particularités d'emplois*
Les démonstratifs qui permettent de situer dans l'espace et dans le temps peuvent avoir des valeurs annexes :

→ **este** peut s'employer dans un récit au passé, pour donner l'impression que le narrateur traite les faits comme proches dans son esprit.

→ **esse** peut avoir une valeur péjorative, ou désigner quelque chose de vague et de lointain. Il peut être associé à des adjectifs dévalorisants : **Esse idiota !**

→ **aquele,** employé dans un récit avec **este,** indique ce qui a été dit en premier, et **este** ce qui vient d'être dit.

● *Le démonstratif* **essa** s'emploie dans des tournures idiomatiques :

> **ora essa !**
> **essa agora !**   Ça alors ! Elle est bien bonne ! Allons donc !

■ CONTROLE

Traduire

① Allons dans cette boutique du centre de la ville.
② Il y a beaucoup de monde dans ce grand magasin (où nous sommes).
③ Fais sortir cet individu !
④ Je ne veux pas manger dans ce restaurant ; allons plutôt dans celui où nous avons mangé hier.

■ CORRIGÉ

① Vamos àquela loja do centro da cidade.
② Há muita gente neste armazém (onde estamos).
③ Põe esse indivíduo daqui para fora !/Põe esse indivíduo na rua !
④ Não quero comer neste restaurante ; vamos antes àquele onde comemos ontem.

● *C'est :* le démonstratif *c'* ne se traduit pas.

> **É caro.** C'est cher.

N.B. : il peut toutefois être traduit par **isto, isso, aquilo** (en respectant la valeur des démonstratifs). Il y a alors insistance :

> **Isso é caro.** Ça, c'est cher.

● Le verbe *être :*

→ se traduit par **ser**, le plus souvent,

> par **estar**, pour indiquer une situation passagère.
> **É bom.** C'est bon.
> **Está bem.** C'est bien, ça va.

→ Le verbe s'accorde en personne :
— avec le *nom* qui suit :

> **É uma criança.** C'est un enfant.
> **São crianças.** C'est des enfants *(français parlé)*.

— avec le *pronom* qui suit :

> **És tu.** C'est toi.
> **Somos nós.** C'est nous.

→ Le verbe s'accorde en temps avec le verbe de la proposition qui suit :

> C'est eux qui ont acheté les billets.
> **Foram eles que compraram os bilhetes.**

N.B. : Il ne se mettra au futur, lorsqu'il y a un futur dans la proposition qui suit, que si la phrase est interrogative :

> C'est lui qui viendra te chercher ?
> **Será ele que te virá buscar ?** → FUTUR
> C'est lui qui viendra me chercher.
> **É ele que me vem buscar.**

● *C'est (difficile) de* + infinitif : dans ces locutions composées de *c'est* + un *adjectif* + *de* + un *infinitif*, il ne faut jamais traduire *de* :

> **É difícil chegar cedo.**
> C'est difficile d'arriver tôt.

■ CONTROLE

Traduire

1. C'est agréable d'aller à la piscine.
2. C'est lui qui viendra te chercher.
3. C'est nous qui avons acheté cette maison.
4. C'est toi qui prendras le train.
5. Est-ce elle qui viendra ?

■ CORRIGÉ

1. É agradável ir à piscina.
2. É ele que virá buscar-te.
3. Fomos nós que comprámos esta casa.
4. És tu que apanharás o comboio.
5. Será ela que virá ?

● *Celui de/celui qui, ceux de/que, celle(s) de/que*
Dans ces cas, le démonstratif se traduit par l'article défini correspondant :

> Mon stylo est celui qui est sur la table.
>
> **A minha caneta é a que está na mesa.**
>
> Mes problèmes sont ceux de tout le monde.
>
> **Os meus problemas são os de toda a gente.**

N.B. : lorsque le démonstratif est traduit (on emploie alors **esse** ou **aquele**), il y a emphase.

● *Le démonstratif est remplacé par l'article défini,* lorsque le nom qu'il précède est suivi d'un complément :

> **Costumo ir à loja que fica na praça.**
>
> J'ai l'habitude d'aller dans cette boutique qui est sur la place.

N.B. : l'article défini (qui provient d'un démonstratif latin), a souvent en portugais la valeur d'un démonstratif, qu'il faut traduire en français :

> **O vinho da região é muito bom.**
>
> Le vin de cette région est très bon.

■ CONTROLE

Traduire

① Je ne veux pas mettre cette robe ; je veux mettre celle que j'avais hier.

② Les nouvelles de cette semaine sont mauvaises.

③ Les meilleures plages sont celles du sud.

④ Allons à cette table qui est près de la porte.

■ CORRIGÉ

① **Não quero vestir este vestido ; quero o que vesti ontem.**

② **As notícias da semana são más.**

③ **As melhores praias são as do sul.**

④ **Vamos para a mesa que está perto da porta.**

Les prépositions de lieu (**em, a, por, de**) sont employées suivant des règles précises, quelle que soit la préposition employée en français.

● **em** : indique le lieu où l'on se trouve :

> **Estou em Paris.** Je suis à Paris.
> **Estou na praia.** Je suis sur la plage.
> **Estou no jardim.** Je suis dans le jardin.

● **a** : indique un changement de lieu :

> **Vou ao jardim.** Je vais dans le jardin.
> **Vou à praia.** Je vais à la plage.

● **por** : indique l'endroit par où l'on passe, ou un mouvement dans un même lieu :

> **Passo por Paris.** Je passe par Paris.
> **Passeio pelo jardim.** Je me promène dans le jardin.

● **de** : indique l'endroit d'où l'on vient :

> **Venho de Lisboa.** Je viens de Lisbonne.

■ CONTROLE

Traduire

① **Des oiseaux volent dans le ciel.**
② **Il se promène dans le jardin.**
③ **Je vais au centre de la ville.**
④ **La poste se trouve dans le centre.**

■ CORRIGÉ

① **Pássaros voam pelo céu.**
② **Ele passeia pelo jardim.**
③ **Vou ao centro da cidade.**
④ **O correio fica no centro.**

● *Chez moi, chez toi, chez lui, chez elle,* etc. se traduit par une préposition de lieu **em, a, de, por** (en respectant leurs conditions d'emploi) + **casa,** précédé ou nom d'un possessif :

Estou em casa.	Je suis chez moi *(à la maison)*.
Ele sai de casa.	Il sort de chez lui.
Vou a casa.	Je vais chez moi *(à la maison)*.
Ele vai à tua casa.	Il va chez toi.

→ **N.B. : casa** n'est généralement pas précédé du possessif lorsqu'il s'agit du domicile du sujet du verbe.

Vou a casa.	Je vais chez moi.
Ele vai a casa.	Il va chez lui.

— *dans ce cas* **casa** n'est pas précédé de l'article défini, sauf si ce mot est accompagné d'un adjectif ou d'un complément.

Estou em casa.	**Estou na casa da praia.**
Je suis chez moi.	Je suis dans la maison de la plage.

— *dans les autres cas,* **casa,** pour plus de clarté, est précédé du possessif qui convient, précédé, lui, de l'article défini :

Tu vais a casa.	Tu vas chez toi.
Ele vai à tua casa.	Il va chez toi.

● *Chez le coiffeur, chez le médecin,* etc.
On emploie la préposition **a, de, em** (conformément aux situations) + l'article défini + le nom indiquant le métier :

Vou ao médico.	Je vais chez le médecin.
Estou no cabeleireiro.	Je suis chez le coiffeur.

● Autres traductions : *chez* + un pluriel (indiquant *peuples, races,* etc.) : **entre.**

Entre os Gregos.	Chez les Grecs.

■ CONTROLE

Traduire

① **Ils n'étaient pas chez eux.**
② **Viens chez moi.**
③ **Nous allons chez le dentiste.**
④ **Je rentre chez moi tard.**

■ CORRIGÉ

① **Eles não estavam em casa.**
② **Vem à minha casa.**
③ **Vamos ao dentista.**
④ **Regresso a casa tarde.**

Il existe deux systèmes d'adverbes de lieu :

● un système « ternaire » avec :
aqui *ici* (près de celui qui parle).
aí *là* (près de l'interlocuteur).
ali/acolá/além *là* (loin des deux interlocuteurs).
Le système des démonstratifs **este, esse, aquele** correspond
à ces adverbes (cf. B.24).

● un sytème « binaire » avec :
cá *ici* (proche de celui qui parle).
lá *là* (loin de celui qui parle).

Vem cá.	Viens près de moi.
Vou lá abaixo.	Je vais là-bas en bas.
Ele está lá fora.	Il est dehors (loin de moi).
Ele está cá em baixo.	Il est en bas *(sous-entendu avec moi)*.

● **Cá** et **lá** peuvent avoir des emplois divers :

→ employés avec un *démonstratif* ou un *possessif* : *valeur
d'insistance* (valeur « emphatique »).
Cá s'emploie avec le démonstratif **este** ou le possessif **meu(s),
minha(s), nosso(s), nossa(s)** (1re pers.) :
  Cá na minha opinião. A mon avis.

Lá s'emploie avec les démonstratifs **esse, aquele,** et les possessifs des 2e et 3e personnes, **teu, vosso, seu,** etc. :
  Lá isso é verdade.   C'est vrai *(ce que tu dis est vrai)*.

→ employés avec *un impératif* (pour mettre en relief le desti-
nataire de l'action) :
  Toma lá. Prend donc.   **Dá cá.** Donne donc.

→ **Lá** employé avec **saber** indique qu'une réponse est *évasive*.
  Sei lá ? Qu'est-ce que j'en sais ? *(Je ne sais pas.)*

■ CONTROLE

Traduire

① **Il est avec moi à l'intérieur de la maison.**
② **Dehors il fait nuit**
③ **A ton avis puis-je sortir ? Je ne sais pas.**

■ CORRIGÉ

① **Ele está comigo cá em casa.**
② **Lá fora é noite.**
③ **Na tua opinião, posso sair ? Sei lá.**

● **cima** *haut*, **baixo** *bas*, employés avec les prépositions de lieu **em, a, por,** forment des locutions prépositives de lieu où les deux éléments gardent leur valeur.

→ **Em cima (de)** *en haut (de)* ; **em baixo (de)** *en bas (de)*. **Em** indique le lieu où l'on se trouve (*en haut* ou *en bas*)

> **O livro está em cima da mesa.** Le livre est sur la table.
> **A mãe está lá em cima.** La mère est en haut.
> **O pai está lá em baixo.** Le père est en bas.

N.B. : ne pas confondre **em baixo** *en bas* et **debaixo de** *sous, au-dessous de*.

> **O cão está debaixo da mesa.** Le chien est sous la table.

→ **acima** *en haut* ; **abaixo** *en bas* : la préposition **a** indique qu'il y a changement de lieu :

> **Vou lá abaixo (lá acima)** Je vais en bas (*ou* en haut).

→ **por cima (de)** *en haut* : **por baixo (de)** *en bas*.
La préposition **por** indique qu'il y a un <u>mouvement</u> dans un lieu, ou dans un espace vaste, au-dessous de quelque chose ou de quelqu'un :

> **O gato passa por baixo da mesa.**
> Le chat passe par dessous la table.
> **O avião passa por cima das casas.**
> L'avion passe au-dessus des maisons.

● Expressions idiomatiques : *verbe de mouvement + lieu +* **acima, abaixo.**

> **Ela passeia rua abaixo.** Elle descend la rue en se promenant.
> **Ela corre rua <u>acima</u>.** Elle monte la rue en courant.
> **Ele nada rio abaixo.** Il descend le fleuve en nageant.

→ **abaixo, acima** indiquent le sens du <u>mouvement</u> et se traduisent généralement par *descendre* et *monter*.

● Le verbe indique comment se fait le mouvement, et se traduit par un participe présent.

● Autres locutions adverbiales de lieu : **atrás de** *(derrière)*,
   à frente (de) ou **diante (de)** *devant* :

   Ele está à frente ; ela vem atrás.
   Il est devant ; elle vient derrière.
   Eles estão atrás da porta. Ils sont derrière la porte.
   Ele está diante de mim/ está à minha frente.
   Il est devant moi.

■ CONTROLE

Traduire

1. **Le métro passe sous les maisons.**
2. **Je vais au rayon des livres qui est en haut.**
3. **Le cahier est sous l'étagère.**
4. **Le bateau remonte le fleuve.**

■ CORRIGÉ

1. **O metro passa por baixo das casas.**
2. **Vou à secção dos livros que é lá em cima.**
3. **O caderno está debaixo da prateleira.**
4. **O barco vai rio acima.**

Pourquoi ? : interrogation sur la *cause* : **Porque, Porquê ?**

● **Porque ?** (atone) : l'interrogatif est suivi d'une phrase, avec ou sans la locution d'insistance **é que**. *Pourquoi ?* (à cause de quoi ?) :

Porque dizes isso ?   Pourquoi dis-tu cela ?
Porque é que dizes isso ? Pourquoi donc dis-tu cela ?

● **Porquê ?** (tonique) ; l'interrogatif est employé seul ; il n'est pas suivi d'une phrase :

Queria saber porquê.
Je voudrais savoir pourquoi.
Porquê ? Pourquoi ?

N.B. :

→ Dans ce cas la réponse comporte **porque**, *parce que* :

Disse isso porque queria.
J'ai dit cela parce que je le voulais.

→ Chez certains écrivains on peut trouver **por que** ou **por quê ?** *Pourquoi ?*

→ Ne pas confondre l'interrogatif **por que** et le pron. relatif ou l'adj. inter. **que ?**, précédé de **por** : **por que** = *pour lequel, pour laquelle, pour lesquels (lesquelles), pour quel(s), quelle(s)* (**por** sens de *à cause de*) :

Não digo os motivos por que me calo. (relatif)
Je ne dis pas les motifs pour lesquels je me tais.
Queria saber por que motivo te calas. (interrogatif)
J'aimerais savoir pour quel motif tu te tais.

Pourquoi ? : interrogation sur le *but* : **para que, para quê ?**

● **Para que ?** (« atone ») suivi d'une phrase. *Pourquoi ?* (dans quel but ?) :

Para que vieste aqui ?
Pourquoi es-tu venu ici ? *(dans quel but ?)*

● **Para quê ?** (« tonique ») employé seul :

Queria saber para quê ?
Je voudrais savoir pourquoi ? *(dans quel but ?)*

→ **N.B. :** la réponse comporte alors **para, para que** *pour :*

     Vim para te ver.   Je suis venu pour te voir.
     Vim para que me   Je suis venu pour que tu m'écoutes.
     ouças

■ CONTROLE

Traduire

1. Il m'a demandé pourquoi tu es partie si tôt
2. A quoi servent ces livres ? Les acheter, pourquoi ?
3. Pour quel motif ne viens-tu pas ?
4. Parce qu'il fait froid.

■ CORRIGÉ

1. Ele perguntou-me porque partiste tão cedo.
2. Para que servem estes livros ? Comprá-los, para quê ?
3. Por que motivo não vens ?
4. Porque está frio.

Por *par* et **para** peuvent se traduire par : *pour, vers.* Mais ils s'emploient dans des cas bien précis :

● **Para** *vers* indique la direction :

O balão subiu para o céu. Le ballon est monté vers le ciel.

● **Para** + infinitif *(pour)* indique le but :

Vou para Paris para trabalhar. Je vais à Paris pour travailler.

→ **Remarque :**

Vou a Portugal   Je vais au Portugal *(pour quelque temps)*
Vou para Portugal.   Je vais au Portugal *(pour y rester)*

● **Por** peut indiquer :

→ le lieu *par où* l'on passe *(par)* :

Passo por Coimbra. Je passe par Coimbra

→ le lieu *dans* lequel il y a un mouvement *(dans - par)* :

Passeio pela rua. Je me promène dans la rue.

→ *l'approximation* dans l'expression de temps *vers* :

Volto pelas sete horas. Je reviens vers sept heures.

→ *la durée (pour)* :

Parto por duas semanas. Je pars pour deux semaines.

→ *le prix (pour)* :

Comprei isto por 20 escudos. J'ai acheté ceci pour 20$00.

→ après les verbes qui indiquent une *attente*, un sentiment *(pour)* :

Espero por ela.   Je l'attends.
Tenho muita ternura por   J'ai beaucoup de tendresse pour
ti   toi

● **Por** + infinitif = cause *(parce que)* :

Não o vi por ter chegado tarde.
Je ne l'ai pas vu parce que je suis arrivé en retard.

→ **N.B. : por + o, a**, pronom personnel compl. ne se contracte pas :

Por o ter encontrado, fiquei contente.
Parce que je l'ai recontré, j'ai été content(e).

Pour l'avoir...

■ CONTROLE

Traduire

1. Il revient à Lisbonne vers le soir.
2. Parce que je n'avais pas d'argent, je n'ai pas acheté le billet pour aller à Paris.

■ CORRIGÉ

1. Ele volta para Lisboa pela noite.
2. Por não ter dinheiro, não comprei o bilhete para ir a Paris

Voici-voilà (espace) :

● Se traduit par une périphrase composée de :

→ un adverbe de lieu **(aqui, aí, ali)** selon l'endroit où se trouve la personne ou la chose désignée par rapport à la personne qui parle ;

→ un verbe indiquant l'immobilité **(estar, ficar/être)** ou un verbe de mouvement **(ir-aller, vir-venir)**, ou encore **ter-avoir**, lorsqu'on donne une chose.

Aqui está, *voici*	On montre une personne ou
Aí, ali está, *voilà*	une chose immobile
Aqui tem, *voici*	On présente une chose
Aí, ali tem, *voilà*	que l'on donne.
Aqui vem, *voici*	On montre une personne qui
	vient vers celui qui désigne.

→ On peut employer **eis** (invariable) : *voici*.

   Eis o meu amigo. Voici mon ami.

N.B. : eis, accompagné d'un pronom personnel.
Le pronom se place en « enclise », (cf. B.2) après **eis**, il prend la forme **lo(s), la(s),** et le **s** final disparaît.

   Ei-lo. Le voici.

● *Voici-voilà* synonymes de *ça y est,* **pronto :**

   Voilà, j'ai fini mon travail. **Pronto, acabei o trabalho.**

■ CONTROLE

Traduire
1. **Le voici qui vient.**
2. **Voici notre ami.**
3. **Voilà le train (qui passe).**
4. **Voici votre facture.**

■ CORRIGÉ

1. **Ei-lo que vem.**
2. **Eis o nosso amigo.**
3. **Ali vai o comboio.**
4. **Aqui tem a factura.**

Les verbes n'ont pas toujours le même régime en portugais et en français ; leur complément peut être introduit de façons différentes :

● verbes *non suivis de préposition en français* et *suivis d'une préposition en portugais* :

Aimer qqun ou qq chose	**Gostar de...**
Oublier qqun, qq chose	**Esquecer-se de...**
Se rappeler qqun, qq chose	**Lembrar-se de...**

Gosto deste livro, gosto de ler.
J'aime ce livre, j'aime lire.

● verbes *suivis de préposition en français*, et *non suivis d'une préposition en portugais* :

Avancer de... **Adiantar...**   Retarder de... **Atrasar...**

O relógio atrasa dez minutos.
La montre retarde de dix minutes.

Essayer de (parler)...	**Tentar (falar)...**
Jouer d'un instrument	**Tocar um instrumento.**
Profiter de qq chose	**Aproveitar uma coisa.**

→ **Rappel :** *c'est* (difficile, bon, heureux, etc.) *de* + infinitif.
Le *de* qui introduit l'infinitif ne se traduit pas
en portugais : C'est agréable de se promener.
É agradável passear (B.25).

● verbes *suivis de préposition en français et portugais*, mais
la *préposition est différente* :

compter <u>sur</u>	**contar <u>com</u> alguém**
comparer <u>à</u>	**comparar <u>com</u>**
être content <u>de</u>	**estar contente <u>com</u>**
se réjouir <u>de</u>	**alegrar-se <u>com</u>**
rêver <u>à</u>	**sonhar <u>com</u>**
s'efforcer <u>de</u>	**esforçar-se <u>por</u>**
s'intéresser <u>à</u>	**interessar-se <u>por</u>**
croire <u>à</u>	**acreditar (crer) <u>em</u>**

se fier **à**	confiar **em**
penser **à**	pensar **em**
consister **à**	consistir **em**
tarder **à**	tardar **em**
servir **à**	servir **para**

■ CONTROLE

Traduire

1. Il avait oublié son porte-monnaie.
2. Il s'efforça de me convaincre.
3. Ma montre avançait de dix minutes.
4. Il rêvait à une vie meilleure.

■ CORRIGÉ

1. Ele tinha-se esquecido do porta-moedas.
2. Ele esforçou-se por me convencer.
3. O meu relógio adiantava dez minutos.
4. Ele sonhava com uma vida melhor.

Il existe *deux* verbes *avoir* en portugais : **ter** et **haver.**

● **ter** est employé :
→ pour indiquer la *possession*
   Ele tem muitos filhos. Il a beaucoup d'enfants.

→ pour former les *temps composés du passé* (Portugal).
   Ele tinha bebido. Il avait bu.

△ **N.B. :** au Brésil, on emploie plutôt **haver,** mais **ter** y est possible.

● **haver** est employé ;
→ pour traduire *il y a* (toujours à la 3e pers. du singulier)
   Há muita gente.   Il y a beaucoup de monde.
   Havia muitos carros. Il y avait beaucoup de voitures.

△ **N.B. :** au Brésil, *il y a* se traduit plutôt par **tem (ter) ;**

→ pour former les *temps composés du passé (Brésil)*
   Ele havia cantado. Il avait chanté.

N.B. : au Portugal, **haver** était couramment employé, à l'époque classique (XVIe et XVIIe siècle) pour former les temps composés du passé. Il appartient aujourd'hui à la langue littéraire.

● *Lorsqu'un verbe a deux participes,* il faut employer le participe passé régulier (qui reste invariable) avec **ter** et **haver.**
   Ela tinha acendido a luz. Elle avait allumé la lumière.

■ CONTROLE

Traduire

① Il y avait beaucoup de maisons dans cette rue qui avaient plus de cinq étages.

② Il y a longtemps qu'il était parti.

■ CORRIGÉ

① **Havia muitas casas nesta rua que tinham mais de cinco andares.**

② **Há muito tempo que ele tinha partido.**

Il existe *deux* verbes *être* en portugais : **ser** et **estar**.

● **ser** est employé :

→ s'il s'agit d'une *caractéristique essentielle* permanente.

   O prédio é alto   L'immeuble est haut.

   Lisboa é a capital.   Lisbonne est la capitale.

→ s'il s'agit d'*une situation fixe dans l'espace* :

   Lisboa é em Portugal. Lisbonne est au Portugal.

→ lorsqu'il est *suivi d'un chiffre* :

   Somos dez. Nous sommes dix.

→ avec l'expression de l'heure :

   São duas horas. Il est deux heures.

→ il traduit quelquefois l'expression *c'est* (B.25) :

   É maçador. C'est ennuyeux. **É longe.** C'est loin.

→ **Attention :** ne pas confondre **é** *(est)* et **e** *(et)*, prononcé (i).

● **Estar** est employé :

→ pour indiquer une *situation transitoire dans le temps et dans l'espace* (il a le sens de « se trouver ») :

   Estou de acordo. Je suis d'accord.

   Estou na rua. Je suis dans la rue.

   Estamos em Dezembro. Nous sommes en décembre.

→ dans quelques *expressions idiomatiques* (état passager) :

   Estar com fome, com sede. Avoir faim, soif.

   Estar com frio. Avoir froid.

→ pour indiquer *la date* :

   Estamos a 25 de Agosto. Nous sommes le 25 août.

→ lorsqu'on *téléphone*, pour traduire *allô* :

   Portugal : **Está ?** (dit celui qui appelle) ; **Estou** (celui qui répond).

   Brésil : **Allô.**

■ CONTROLE

Traduire
1. **Paris est en France, c'est une capitale.**
2. **Je vois les bateaux qui sont dans le port.**
3. **Je suis au restaurant, j'ai faim.**

■ CORRIGÉ

1. **Paris é em França, é uma capital.**
2. **Vejo os barcos que estão no porto.**
3. **Estou no restaurante, estou com fome (tenho fome).**

Lorsque le verbe *être* indique une *situation*, *trois* traductions sont possibles : **ser, estar** ou **ficar.**

● **ser** (ou **ficar** qui signifie *rester*), lorsqu'il s'agit d'une situation *permanente, définitive* :

> Coimbra est au Portugal.
> **Coimbra é em Portugal.**
> ou **Coimbra fica em Portugal.**

> L'arrêt de l'autobus est sur la place.
> **A paragem do autocarro é na praça.**
> ou **A paragem do autocarro fica na praça.**

● **Estar** (ou **ficar**), si le verbe *être* est employé avec un *participe passé*, indiquant une situation *permanente* :

> **Portugal está (ou fica) situado à beira-mar.** Le Portugal est situé au bord de la mer.

● **Estar,** s'il s'agit d'une situation *passagère* :

> **Estou em casa.** Je suis à la maison.
> **Ele está contigo.** Il est avec toi.

■ CONTROLE

Traduire

① Elle est à l'hôpital qui est dans le nord de la ville.
② Mon immeuble est situé près de la gare.
③ Ma voiture est stationnée devant le café qui est dans ta rue.

■ CORRIGÉ

① Ela está no hospital que fica (é) ao norte da cidade.
② O meu prédio fica (está) situado perto da estação.
③ O meu carro está estacionado diante do café que fica na tua rua.

● **ser,** avec un adjectif indiquant une *caractéristique fondamentale ou permanente* : la nationalité, la profession, l'état civil, la couleur, la forme, etc.

> **O professor é português.** Le professeur est portugais.
> **A casa é alta.** La maison est haute.
> **Os olhos dela são azuis.** Ses yeux sont bleus.

● **estar,** avec un adjectif indiquant un *état passager* :

> **Ela está satisfeita.** Elle est satisfaite.
> **Ele está zangado.** Il est fâché.

● **ser** ou **estar,** avec le même adjectif nuance le sens.

> **O céu é azul.** Le ciel est bleu (généralement).
> **Hoje o céu está azul. Ontem estava cinzento.** Aujourd'hui le ciel est bleu, hier il était gris.
> **Ele é doente.** Il est malade (il est d'une nature maladive).
> **Hoje estou doente.** Aujourd'hui, je suis malade.

■ CONTROLE

Traduire

① Il est triste parce que la chanson est triste.

② Il est avocat ; sa femme vient de mourir : il est veuf maintenant.

■ CORRIGÉ

① **Está triste porque a canção é triste.**

② **É advogado ; a mulher acaba de morrer : está viúvo.**

● **ser** + *participe passé* quand il s'agit d'une *forme passive*. L'action est considérée comme en cours d'accomplissement : l'agent qui fait l'action (introduit par **por**) peut être exprimé ou sous-entendu.

> **A mesa é posta pela minha mãe.** La table est mise par ma mère.
> **Os bilhetes foram comprados.** Les billets ont été achetés.

● **estar** + *participe passé*, quand il s'agit du résultat d'une action, faite antérieurement.

> **Ao entrar, vi que a mesa estava posta.**
> En rentrant, j'ai vu que la table était mise.
> **Quando chegámos ao mercado, estava tudo vendido.**
> Quand nous sommes arrivés au marché, tout était vendu.

Remarques → Le participe passé s'accorde en genre et en nombre avec le sujet des verbes **ser** et **estar** :

> **A janela está fechada.**   La fenêtre est fermée.
> **Os bilhetes são comprados.** Les billets sont achetés.

→ Lorsqu'un verbe a deux participes passés, il faut employer *le participe passé irrégulier*, avec **ser** et **estar** :

> **A luz está acesa.**   La lumière est allumée.
> **A luz foi acesa pela Maria.** La lumière a été allumée
>   par Maria.

→ **mais : Ela tinha acendido a luz.** Elle avait allumé la lumière.

■ CONTROLE

Traduire

① **Les billets sont déjà payés.**
② **Ils ont été payés par Pedro.**
③ **Les colis sont remis par le facteur.**
④ **Un colis a été remis ce matin.**
⑤ **Tous les colis sont déjà remis.**

■ CORRIGÉ

① **Os bilhetes já estão pagos.**
② **Foram pagos pelo Pedro.**
③ **As encomendas são entregues pelo carteiro.**
④ **Uma encomenda foi entregue esta manhã.**
⑤ **Todas as encomendas já estão entregues.**

- **Estar** + *le gérondif*, indique une *action qui dure pendant un certain temps*. Il s'agit d'une forme progressive qui peut être exprimée en français par la périphrase *en train de* :

  > **Ele está a cantar (ou cantando).**
  > Il chante (il est en train de chanter).

- Il existe *deux formes de gérondif* en portugais :

→ une forme « périphrastique » ; **a** + *infinitif*. Elles est couramment employée au Portugal :

  > **Está a cantar.** Il chante.
  > **Está a comer.** Il mange.
  > **Está a rir.** Il rit.

→ Une forme « synthétique » (invariable) construite avec **-ndo** qui se met à la place du **r** de l'infinitif.

  Elle est employé au Brésil et dans certaines région du Portugal (Alentejo et Algarve) :

  Cantar → **Está cantando.** Il chante.
  Comer → **Está comendo.** Il mange.
  Rir → **Está rindo.**   Il rit.

■ CONTROLE

Traduire

1. **Les enfants jouaient dans le jardin.**
2. **En ce moment la radio donne des informations.**
3. **Je suis en train de lire un bon roman.**
4. **Il courait dans la rue.**

■ CORRIGÉ

1. **As crianças estavam a brincar (estavam brincando) no jardim.**
2. **Agora a rádio está a dar (está dando) notícias.**
3. **Estou a ler (estou lendo) um bom romance.**
4. **Ele estava a correr (ou estava correndo) na rua.**

● **Ir** *aller*, **vir** *venir* + *gérondif* « périphrastique » expriment la forme progressive. Ces verbes remplacent **estar,** et apportent, par leur sens, plus de précision à la phrase :

> Il mange dans la rue *(ou* il est en train de manger dans la rue*)*.
> **Está a comer na rua.** Il est en train de manger dans la rue.
> **Vem a comer na rua.** Il vient en mangeant dans la rue.
> **Vai a comer na rua.** Il s'en va en mangeant dans la rue.

● **Ir** + *gérondif* en **-ndo** (exclusivement) expriment le *début* d'une action qui se déroule en même temps qu'une autre :

> **Vai andando, que já vou ter contigo.**
> Commence à marcher, je vais te rejoindre.
> **Vai lavando as mãos, enquanto ponho a mesa.**
> Lave-toi les mains, pendant que je mets la table.

● **Andar** + *gérondif* indiquent une action qui se déroule pendant un long espace de temps :

> Il étudie. **Está a estudar.** Il est en train d'étudier.
> **Anda a estudar.** Il fait ses études.

■ CONTROLE

Traduire

(1) **En ce moment le train de cinq heures est en train de passer.**

(2) **Maintenant il travaille dans une usine.**

(3) **Fais tes courses pendant que je vais acheter des cigarettes.**

■ CORRIGÉ

(1) **Neste momento, o comboio das cinco vai a passar.**

(2) **Agora, ele anda a trabalhar numa fábrica.**

(3) **Vai fazendo as compras, enquanto eu vou comprar cigarros.**

● **Estar para** + *infinitif* indiquent une *intention* ou l'*imminence d'une action* :

> **Há dias que estou para ir ao cinema.**
> Il y a plusieurs jours que je pense aller au cinéma.
> **Vem depressa, ele está para sair.**
> Viens vite, il est sur le point de partir.

● **Estar por** + *infinitif* indiquent une *action inachevée*, mais qui doit être réalisée :

> **Este trabalho está por fazer.** Ce travail est à faire.

→ **N.B. : estar** peut être remplacé par **ficar**, lorsqu'il s'agit d'une action qui a été interrompue et qui doit être terminée :

> **O trabalho ficou por fazer.**
> Le travail est (resté) à faire (il a été comencé et interrompu).

■ CONTROLE

Traduire

① **Il doit venir à huit heures.**
② **Ce terrain est à labourer.**
③ **Cette usine est sur le point de fermer ; elle est en faillite.**

■ CORRIGÉ

① **Ele está para vir às oito horas.**
② **Este terreno está por lavrar.**
③ **Esta fábrica está para fechar ; abriu falência.**

● **É que** est une expression employée couramment dans la langue parlée, pour *renforcer un mot interrogatif* (on l'appelle expression « emphatique »).

Elle est *invariable* ; elle peut se traduire par *est-ce que, est-ce qui, donc*, etc.

> **Quem é que quer vir comigo ?**
> Qui est-ce qui veut venir avec moi ?
> **Quando é que vocês sairam ?**
> Quand est-ce que vous êtes partis ?
> Quand êtes-vous donc partis ?
> **Como é que te chamas ?**
> Comment est-ce que tu t'appelles ? *(Comment t'appelles-tu donc ?)*

→ **N.B. :** lorsque le mot interrogatif est renforcé par **é que**, il n'y a pas inversion du sujet du verbe :

> **Quando vieram eles ?** *mais,* **Quando é que eles vieram ?**
> Quand sont-ils venus ?   Quand sont-ils donc venus ?

● **É que** peut être également employé dans les propositions affirmatives avec une fonction de mise en relief (toujours emphatique) :

> **Na rua é que a vi.**   C'est dans la rue que je l'ai vue.
> **Eles é que me disseram.**   Ce sont eux qui m'ont dit.

■ CONTROLE

Traduire

① Où est-ce que vous êtes allés hier ?
② Qui (est-ce que) nous verrons à Paris ?
③ A quoi sert donc cette bouteille ?

Employer la locution emphatique **é que** :

① Quando chegou o avião ?
② Porque sairam tão cedo os nossos amigos ?
③ Para onde vai esta gente ?

■ CORRIGÉ

① Onde é que vocês foram ontem ?
② Quem é que vamos ver em Paris ?
③ Para que é que serve esta garrafa ?

① Quando é que o avião chegou ?
② Porque é que o nossos amigos sairam tão cedo ?
③ Para onde é que esta gente vai ?

L'obligation personnelle peut être exprimée par :

● **Ter** (conjugué) + **de** + *infinitif* : obligation impérative.

> **Tenho de me levantar cedo.**
> Il faut que je me lève tôt.
> **Tens de trabalhar muito.**
> Il faut que tu travailles beaucoup.

→ **N.B. : Tenho muito que fazer.** J'ai beaucoup à faire.

● **Dever** (conjugué) + *infinitif* : obligation morale ou obligation atténuée :

> **Devo partir amanhã.**
> Je dois partir demain.
> **Devemos respeitar as leis.**
> Nous devons respecter les lois.

● **Haver** (conjugué) + **de** + *infinitif* : il s'agit plus d'une intention que d'une réelle obligation (peut avoir une valeur de futur) :

> **Havemos de falar com ele.**
> Il faut que nous lui parlions.
> Nous lui parlerons.

■ CONTROLE

Traduire

① Je dois aller chez le médecin aujourd'hui car j'ai rendez-vous.

② Il faut que nous allions vous voir bientôt.

③ Nous devons aimer nos parents.

④ Il faut que tu achètes les billets

■ CORRIGÉ

① **Hoje tenho de ir ao médico porque tenho consulta marcada.**

② **Havemos de ir vê-lo(s) em breve.**

③ **Devemos amar os nossos pais.**

④ **Tens de comprar os bilhetes.**

L'obligation s'exprime également par les périphrases : **é preciso, é necessário.**

● *Si l'obligation est impersonnelle :*

→ **é preciso** + *infinitif*
>**É preciso comer para viver.**
>Il faut manger pour vivre.
>**É preciso trabalhar.**
>Il faut travailler.

● *Si l'obligation est personnelle :*

→ **é preciso** + *que* + le verbe au *subjonctif* :
>**É preciso que trabalhes.**
>Il faut que tu travailles.
>**Era necessário que viessem comigo.**
>Il fallait qu'ils vinssent avec moi.

→ **é preciso** + *l'infinitif personnel* :
>**É preciso trabalhares.**
>Il faut que tu travailles
>(il te faut travailler).

■ CONTROLE

Traduire
(1) **Il faut aller régulièrement chez le médecin.**
(2) **Il faut que nous allions chez nos amis (3 possibilités).**
(3) **Il leur faut économiser (3 possibilités).**

■ CORRIGÉ

(1) **É necessário ir regularmente ao médico.**
(2) - **É preciso irmos a casa dos nossos amigos.**
   - **É preciso que vamos** ......
   - **Temos de ir** ......
(3) - **É preciso que eles poupem.**
   - **É preciso eles pouparem.**
   - **Têm de poupar.**

Le présent de l'indicatif qui est le mode des faits réels indique :

● un *fait* qui se déroule *au moment où l'on parle* :
   Há muita gente na praia.
   Il y a beaucoup de monde à la plage.

● des *actions* ou des *états permanents* :
   No Inverno, as noites são longas.
   En hiver, les nuits sont longues.

● des *actions* qui se *répètent* :
   Levanto-me sempre às 8 horas.
   Je me lève toujours à 8 heures.

● une *action future* dont la *réalisation est certaine* (il peut être accompagné d'un adverbe de temps) :
   Amanhã, saio cedo de casa.
   Demain, je sortirai tôt.

■ CONTROLE

Traduire

① Je viendrai plus tard.
② J'irai au cinéma à cinq heures.
③ Je prends toujours mes vacances en août.
④ Il arrive tous les jours à la même heure.

■ CORRIGÉ

① **Venho mais tarde.**
② **Vou ao cinema às cinco horas.**
③ **Tenho férias sempre em Agosto.**
④ **Ele chega todos os dias à mesma hora.**

● *Le souhait* est exprimé par le *présent du subjonctif* qui est le mode de l'hypothèse, de l'irréel :

> **Que sejam felizes !** Qu'ils soient heureux !

● *L'ordre* s'exprime avec *l'impératif* qui se forme :

→ pour **tu** et **vós,** à partir *du présent de l'indicatif* (2e pers. du sing. et du pl. s<u>ans s</u>) :

> **Dá-me a caneta.** Donne-moi le stylo.
> **Dai-me a caneta.** Donnez-moi le stylo.

→ avec *le présent du subjonctif* pour les <u>formes de *vouvoiement*</u> (3e per. du sing. et du pl.) et pour la 1re pers. du pl. **(nós) :**

> **Esperem por mim.** Attendez-moi.
> **Telefonemos-lhe.** Téléphonons-lui.

● La *défense* s'exprime avec **não** + *le présent du subjonctif* aux personnes correspondantes :

> **Não venhas comigo.**   Ne viens pas avec moi.

■ CONTROLE

Traduire

① **Chers compatriotes, votez dimanche.**
② **Ne restez pas debout (à plusieurs personnes).**
③ **Levez-vous (à une personne).**
④ **Allons avec lui au cinéma.**
⑤ **Viens avec moi.**
⑥ **Pourvu qu'ils soient là.**

■ CORRIGÉ

① **Caros compatriotas, votai no domingo.**
② **Não fiquem de pé.**
③ **Levante-se**
④ **Vamos com ele ao cinema.**
⑤ **Vem comigo.**
⑥ **Que estejam lá !**

L'idée de *futur* s'exprime rarement, au Portugal, par le futur de l'indicatif.

● Dans les *propositions indépendantes* ou *principales* elle s'exprime plutôt par :

→ **ir** + *l'infinitif* pour traduire l'idée d'un futur proche (familier) :

Vou escrever uma carta. Je vais écrire une lettre.

→ *Présent de l'indicatif*, accompagné d'un adverbe de temps (ou non) lorsqu'il s'agit d'un futur dont la réalisation est certaine :

Amanhã vou passear. Demain je me promènerai.

→ **Haver de** + *infinitif* pour traduire un futur d'intention :

Hei-de escrever esta carta amanhã .

J'écrirai (je dois écrire) cette lettre demain.

● *Dans les propositions subordonnées*, l'idée de futur peut être exprimée par :

→ Le *subjonctif présent* :

Espero que venha.

J'espère qu'il viendra.

→ Le *subjonctif futur* : dans certaines propositions :

Quando vieres, convidamos os amigos.

Quand tu viendras, nous inviterons nos amis.

→ Le *futur de l'indicatif* :

Ele diz que virá. Il dit qu'il viendra.

N.B. : Le *futur de l'indicatif* est plutôt utilisé pour exprimer

→ un *doute*, une *hypothèse* dans un contexte précis :

Que estará ele a fazer agora ?

Que peut-il être en train de faire ?

→ une *action future*, dans un contexte littéraire.

Au Brésil, en revanche, il est d'un emploi plus courant.

■ CONTROLE

Traduire

① C'est cette robe que je mettrai demain.
② Quelle heure peut-il être ?
③ Nous paierons cette facture demain.
④ J'irai au marché demain et je te l'achèterai.

■ CORRIGÉ

① É este vestido que hei-de vestir amanhã
② Que horas serão ?
③ Pagamos esta factura amanhã
④ Vou amanhã ao mercado e compro-to (comprar-to-ei)

● Le *parfait* (passé simple) est d'un emploi plus courant en portugais qu'en français.

Il s'emploie chaque fois qu'il s'agit d'une action qui appartient à *un passé révolu*, même lorsque le français emploie un passé composé :

> **Ele nasceu em Janeiro.**
> Il est né en janvier.

> **Ele veio connosco ao Porto.**
> Il est venu avec nous à Porto.

> **Aconteceu uma vez que...**
> Il est arrivé une fois que...

> **Ontem, almoçaste no restaurante.**
> Hier, tu as déjeuné au restaurant.

> **Ele contou as suas férias.**
> Il a raconté ses vacances.

■ CONTROLE

Traduire

① Il est mort l'année dernière.
② Nous sommes allés au Brésil pendant les vacances.
③ As-tu vu l'accident au carrefour ? Ce n'était pas grave.
④ La télévision montra les jeux Olympiques.
⑤ Hier, nous avons pris un bon bain.

■ CORRIGÉ

■ CORRIGÉ

① Ele morreu no ano passado.
② Fomos ao Brasil durante as férias.
③ Viste o desastre no cruzamento ? Não foi grave.
④ A televisão mostrou os Jogos Olímpicos.
⑤ Ontem, tomámos um bom banho.

B.50 - Particularités de certains parfaits
(passés simples)

● *Certains parfaits ont la même forme à la 1ʳᵉ et à la 3ᵉ*
  personne du singulier :

Dizer →	**Eu disse.** J'ai dit.	**Ele disse.** Il a dit.	
Trazer →	**Eu trouxe.** J'ai apporté.	**Ele trouxe.** Il a apporté.	

● *Certains parfaits présentent une alternance vocalique*
  (changement de voyelle) entre la 1ʳᵉ et la 3ᵉ personne du
  singulier :

Ter →	**Eu tive.** J'ai eu.	**Ele teve.** Il a eu.
Fazer →	**Eu fiz.** J'ai fait.	**Ele fez.** Il a fait.
Ser/Ir →	**Eu fui.** J'ai été.	**Ele foi.** Il a été.
	Je suis allé.	Il est allé.
Pôr →	**Eu pus.** J'ai posé.	**Ele pôs.** Il a posé.
Poder →	**Eu pude.** J'ai pu.	**Ele pôde.** Il a pu.

→ **N.B. :**

Ele pode. Il peut *(présent indicatif)*.
Ele pôde. Il put *(parfait)*.

● **Attention** à la traduction de *c'est* ou *c'était*. Le verbe
  être se traduit par un parfait, s'il correspond à une
  action qui appartient à un passé révolu :

Nous sommes allés à Porto ; c'était un beau voyage.
Fomos ao Porto ; foi uma bela viagem.

■ CONTROLE

Traduire

① Il m'a dit qu'il peut venir aujourd'hui, mais qu'il n'a
   pas pu venir hier.
② J'ai mis les fleurs dans le vase et elle a mis la table.
③ J'ai fait ce que j'ai pu, et lui non.

■ CORRIGÉ

① **Ele disse-me que pode vir hoje, mas que ontem não
   pôde.**
② **Pus as flores na jarra e ela pôs a mesa.**
③ **Fiz o que pude e ele não fez.**

- **Ter** (présent indicatif) + *participe passé* (invariable) :

    Não as tenho visto. Je ne les ai pas vues.

- Le *passé composé* est moins utilisé en portugais qu'en français. Il est employé dans des cas bien précis :

→ lorsqu'une *action, commencée dans le passé, se continue jusque dans le présent :*

    Ele tem esperado até agora. Il a attendu jusqu'à maintenant.

→ lorsqu'il y a une *répétition des actions dans le passé* jusqu'au moment présent :

    Temos ido muitas vezes ao cinema nestes últimos dias.
    Nous sommes allés souvent au cinéma ces derniers temps.

    N.B. : s'il y a répétition dans un passé révolu, on emploie le *parfait* suivi d'une locution adverbiale ou d'un adverbe (**sempre, várias vezes,** etc.) :

    Na semana passada, fomos quase todos os dias ao cinema.
    La semaine dernière, nous sommes allés presque tous les jours au cinéma.

- *Place du pronom personnel complément,* employé avec un *passé composé* : il se place en « enclise » après l'auxiliaire **ter,** dans tous les cas où l'« enclise » est attendue après le verbe :

    Tenho-o visto muito, nestes últimos dias.
    Je l'ai vu beaucoup ces derniers jours.
    Não o tenho visto muito, nestes últimos dias.
    Je ne l'ai pas vu beaucoup, ces derniers jours.

■ CONTROLE

Traduire

1. **Nous nous sommes rencontrés souvent ce mois-ci.**
2. **Nous sommes allés souvent à la plage l'an passé.**
3. **Nous l'avons rencontré devant la gare.**

■ CORRIGÉ

1. **Temo-nos encontrado muitas vezes neste mês.**
2. **No ano passado fomos muitas vezes à praia.**
3. **Encontrámo-lo em frente da estação**

● L'*imparfait* de l'indicatif sert à *exprimer des faits passés* qui ont eu une certaine *durée ou qui se répètent*. Il s'emploie surtout dans les *narrations* :

Eu andava dias inteiros.	Je marchais des journées entières.
Ele dormia quando eu cheguei.	Il dormait quand je suis arrivée.
Levantava-me todos os dias às 7 horas.	Je me levais tous les jours à 7 heures.

● L'*imparfait de l'indicatif* est employé *à la place du conditionnel* :

Queria comprar o jornal.	Je voudrais acheter le journal.
Se eu pudesse, vinha.	Si je pouvais, je viendrais.

→ **N.B. :** il n'y a que *4 verbes irréguliers* à l'imparfait :

ser *être*	→ **era**	**pôr** *mettre*	→ **punha**
ter *avoir*	→ **tinha**	**vir** *venir*	→ **vinha**

■ CONTROLE

Traduire

① Je mettrais bien ces fleurs dans le salon.
② Je souhaiterais le voir plus souvent.
③ Il déjeunait quand le téléphone sonna.
④ Il allait et venait parce qu'il était impatient.

■ CORRIGÉ

① Eu punha estas flores na sala.
② Eu desejava vê-lo mais vezes.
③ Ele almoçava (estava a almoçar) quando o telefone tocou.
④ Ele ia e vinha porque estava impaciente.

● Il existe *deux formes* de *plus-que-parfait* :

→ une *forme composée* : **ter** (à l'imparfait indic.) + *participe passé* (invariable) :

> **Tinha-o visto.** Je l'avais vu.

N.B. : ● **haver** (imparfait ind.) + *participe passé* (inv.) était employé au Portugal dans la langue classique (XVIe-XVIIe) ; il est d'un usage courant au Brésil, aujourd'hui.

● **Le pronom personnel complément** *atone* (non accentué) se place en « enclise » après l'auxiliaire (cf. B.51).

→ une *forme simple*, formée à partir du *passé simple* (3e personne du pluriel, moins **am**) auquel on ajoute les terminaisons : **a, as, amos, eis, am** ; ex. : **cantar⎣am⎦**.

(eu) Cantara	J'avais chanté.	**(nos) Cantáramos**	Nous avions chanté.
(tu) Cantaras	Tu avais chanté.	**(vós) Cantáreis**	Vous aviez chanté.
(ele) Cantara	Il avait chanté.	**(eles) Cantaram**	Ils avaient chanté.

N.B. : ne pas confondre :

Ele cantará.	Il chantera.	**Cantarão**	Ils chanteront.
Ele cantara.	Il avait chanté.	**Cantaram**	Ils chantèrent.
		Cantaram	Ils avaient chanté.

● **Emploi :** le *plus-que-parfait* indique *une action passée* qui s'est déroulée *avant* une autre action passée :

> **Eu pensava que ele tinha vindo antes.**
> Je pensais qu'il était venu avant.

N.B. : → *la forme composée* appartient à la langue courante, parlée ou écrite.
→ *la forme simple* est exclusivement littéraire.

■ CONTROLE

Traduire

① Il était venu avec son amie.
② Il avait fait son lit avant de partir.
③ Il avait composé une belle chanson.

■ CORRIGÉ

① **Ele tinha vindo com a sua amiga. (viera)**
② **Ele tinha feito a cama antes de sair. (fizera)**
③ **Ele tinha composto uma bela canção. (compusera)**

● Le participe passé se forme en ajoutant *au radical de l'infinitif* (infinitif moins **ar**, **er** ou **ir**) les terminaisons suivantes :
— **ado** pour le 1er groupe : **cant-ar** → **cantado**
— **ido** pour le 2e groupe : **com-er** → **comido**
— **ido** pour le 3e groupe : **part-ir** → **partido**

→ Quelques *participes passés* sont *irréguliers* :

escrever	escrito	abrir	aberto
ver	visto	vir	vindo
pôr	posto	fazer	feito.

→ Quelques verbes ont un *double participe passé*, l'un *régulier*, l'autre *irrégulier* :

entregar	livrer	**entregado**	**entregue**
acender	allumer	**acendido**	**aceso**
romper	briser	**rompido**	**roto**
morrer	mourir	**morrido**	**morto**

● Le participe peut s'employer avec :

→ **ser** ou **estar** : dans ce cas il s'accorde en genre et en nombre avec le sujet du verbe (cf. B.39) :

   ● avec **ser**, il indique une action en train de se faire (forme passive) :

     A porta é fechada por ele. La porte est fermée par lui.

   ● avec **estar**, il indique le résultat d'une action passée :
     Agora, a porta está fechada.
     Maintenant, la porte est fermée.

→ **haver** ou **ter** pour former les temps composés du passé, il est alors invariable (cf. B.35) :
     Ela tinha cantado.
     Elle avait chanté.

→ **N.B. :** lorsqu'un verbe a deux participes passés ;
ser et **estar** s'emploient avec le *participe irrégulier* ;
ter ou **haver** s'emploient avec le *participe régulier*.
     Tinha acendido a luz ; agora a luz está acesa.
     Il avait allumé la lumière ; maintenant la lumière est allumée.

■ CONTROLE

Traduire

1. Le président a été élu par les citoyens.
2. Le facteur m'avait remis un colis.
3. Les colis sont remis le matin.

■ CORRIGÉ

1. O presidente foi eleito pelos cidadãos.
2. O carteiro tinha-me entregado uma encomenda.
3. As encomendas são entregues de manhã

La *proposition participe* est plus fréquente en portugais qu'en français.

● Elle se compose :
→ d'un *verbe au participe passé* et d'un *sujet*.
→ d'un *verbe au participe présent* et d'un *sujet*.

● Composée d'un *participe passé* et d'un *nom* (le sujet avec lequel le participe s'accorde) elle indique une *antériorité* :

Paga a conta, saímos do restaurante.
L'addition étant payée, nous sommes sortis du restaurant.

Attention : on emploie toujours le <u>passé simple</u> même s'il est composé en français.

● Composée d'un *participe présent* et d'un *nom* (le sujet), elle indique une *action simultanée* ou la *cause* de l'action principale.

Chegando a tempestade, os barcos voltaram ao porto.
La tempête arrivant, les bateaux rentrèrent au port.

N.B. : le participe passé et le participe présent se placent généralement *devant* le sujet, dans la proposition participe.

● La *notion d'antériorité* peut être rendue par **uma vez, depois de ;** le nom (sujet du verbe) se place alors *devant* le participe :

Paga a conta, saímos.
ou **Uma vez a conta paga, saímos.**
ou **Depois de paga a conta, saímos.**
L'addition étant payée, nous sortîmes..

■ CONTROLE

Traduire en donnant trois traductions possibles pour ② **:**
① **Les blés ayant été coupés, le paysan laboure la terre.**
② **Une fois le village dépassé, nous avons accéléré.**

■ CORRIGÉ

① **Ceifado o trigo, o camponês lavra a terra.**
② **Uma vez a aldeia ultrapassada, acelerámos.**
Ou **depois da aldeia ultrapassada, acelerámos.**
Ou **ultrapassada a aldeia, acelerámos.**

● Le *gérondif portugais* a deux formes (voir B.40) :

→ une forme composée : **a + infinitif** d'usage courant *au Portugal* : **A cantar.** (en) *Chantant.*

→ une forme simple invariable en **ndo**, plus employée *au Brésil* : **Cantando.** (en) *Chantant.*

● Le *gérondif portugais correspond au participe présent français* (chantant) et au *gérondif français* (en + participe présent).

● Le *gérondif français* (en + participe présent) a deux traduction possibles :

→ **a + infinitif** (ou **ndo**) s'il répond à la question **como ?** *(comment ?)* c'est-à-dire s'il indique la manière :
     Ela vinha a cantar.   Elle venait en chantant.
     Ela vinha cantando.

→ **ao + infinitif** s'il répond à la question **quando ?** *(quand ?)* :
     Ele cai ao entrar. Il tombe en entrant.

Une des deux actions simultanées est brève.

Rappel (B.41) : employé avec **estar (ficar, ir** ou **vir)**, le gérondif portugais traduit une action qui dure ou se déroule (forme progressive) :

Está a comer (Port.) ou **comendo** (Br.)   Il mange.
Vem a comer (Port. ou **comendo** (Br.).   Il mange (il vient en mangeant).
Vai a comer (Port.) ou **comendo** (Br.)   Il mange (il part en mangeant).

N.B. :
     Ele vai comendo enquanto trabalho.
     Il mange pendant que je travaille.

Lorsque deux actions sont simultanées et longues, on ne peut employer que le gérondif en **ndo** (même au Portugal).

■ CONTROLE

Traduire

① Il partit en courant.
② Il me salua en arrivant.
③ Il se trompa en payant.
④ Il se blessa en tombant.

■ CORRIGÉ

① Ele partiu a correr (correndo).
② Ele cumprimentou-me ao chegar.
③ Ele enganou-se ao pagar.
④ Ele feriu-se ao cair.

Le subjonctif étant le mode des actions non réalisées (attendues, souhaitées, hypothétiques, etc.), *son emploi est obligatoire*, même si le français utilise l'indicatif, dans :

● *les propositions substantives* introduites par *que* (« complétives »), après des verbes ou des locutions verbales indiquant :

→ *l'obligation* (**é preciso que, é necessário que,** etc.) :
É preciso que venhas. Il faut que tu viennes.

→ *l'attente* (**esperar** *attendre*) :
Espero que o faça. J'espère qu'il le fera.

→ *la volonté* (**querer** *vouloir*) (**decidir que** *décider de*), *la demande* (**pedir que** *demander de)* :
Queres que fique. Tu veux que je reste.

→ *le souhait* (**desejar** *désirer*) :
Desejo que parta. Je désire qu'il parte.

→ *le doute* (**recear** *craindre ;* **duvidar** *douter ;* **é provável que**) :
Receio que parta. Je crains qu'il ne parte.

● *les propositions finales*, introduites par **para que :**
Ele chama-me para que o ajude. Il m'appelle pour que je l'aide.

● *les propositions concessives*, introduites par **embora, ainda que** (bien que) :
Embora saia cedo, não chego a tempo.
Bien que je parte tôt, je n'arrive pas à temps.

● *les propositions conditionnelles* introduites par **a não ser que, a menos que** *à moins que ;* **contanto que** *pourvu que ;* **caso** *au cas où,* (etc.).
Caso me esperem, vou já.
Au cas où ils m'attendraient, je pars tout de suite.
Contanto que chegue cedo, vamos ao cinema.
Pourvu qu'il arrive tôt, nous irons au cinéma.

- *les propositions de lieu* après **onde quer que** *partout où* :

  Onde quer que esteja, ele telefona. Où qu'il soit, il téléphone.

- *les propositions de temps* après **antes que** *avant que* ; **até que** *jusqu'à ce que* :

  Trabalho até que ele chegue. Je travaille jusqu'à ce qu'il arrive.

→ **N.B. :** après **quando,** et d'autres locutions de temps, *le futur du subjonctif* traduit l'idée de futur.

■ CONTROLE

Traduire

(1) **Je doute qu'il arrive à temps.**

(2) **A moins que tu ne m'aides, je ne finirai pas à temps.**

(3) **Je lui téléphonerai avant qu'il ne parte.**

(4) **Je lui ai demandé de m'attendre.**

■ CORRIGÉ

(1) **Duvido que ele chegue a tempo.**

(2) **A não ser que me ajudes, não acabo a tempo.**

(3) **Telefono-lhe antes que saia.**

(4) **Pedi-lhe que me esperasse.**

Le subjonctif peut être employé dans certaines propositions subordonnées où l'emploi de l'indicatif est normalement attendu.
Il donne une idée d'*incertitude*, de *doute*, *d'hypothèse* quant à la réalisation de l'action indiquée par le verbe de la subordonnée :

● dans les *propositions relatives*, introduites par **que, quem**

> **Quero o livro que está em cima da mesa** (réel).
> Je veux le livre qui est sur la table.
> **Procuro um livro que me interesse.**
> Je cherche un livre qui m'intéresse (qui pourrait m'intéresser).

N.B. : → quand l'antécédent du relatif est **o** mais *le plus*, **o único** *le seul*, **o primeiro** *le premier* le verbe est *toujours à l'indicatif en portugais, alors qu'il est au subjonctif en français* (cf. B.78) :

> **É o filme mais bonito que conheço**
> C'est le film le plus beau que je connaisse.

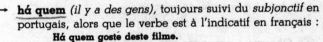

→ <u>**há quem**</u> (*il y a des gens*), toujours suivi du *subjonctif* en portugais, alors que le verbe est à l'indicatif en français :

> **Há quem goste deste filme.**
> Il y a des gens qui aiment ce film.

● dans les *propositions substantives* (« complétives ») introduites par **que,** après un verbe exprimant une pensée (**pensar que** *penser que*, **crer** ou **acreditar que** *croire que*) ;

> **Pensava que vinha comigo.**
> Je pensais qu'il venait avec moi.

> **Pensava que viesse comigo**
> Je pensais qu'il pourrait venir avec moi (hypothèse).

> **Creio que ele está em casa.**
> Je crois qu'il est à la maison.

> **Creio que já esteja em casa.**
> Je crois qu'il est peut-être déjà à la maison.

N.B. : → **Não crer** ou **não acreditar** entraîne *toujours le subjonctif* :

> **Não creio que venha comigo.**
> Je ne crois pas qu'il vienne avec moi.

■ CONTROLE

Traduire

1. J'observe le pêcheur qui est au bord du fleuve.
2. C'est le plus beau cadeau que je puisse faire.
3. Je veux une maison qui soit grande.
4. Je pense qu'il m'attend.
5. Celui qui est en train de parler avec moi c'est João.
6. Il y avait des gens qui aimaient ce spectacle.
7. Je ne pense pas qu'il soit déjà là.

■ CORRIGÉ

1. **Observo o pescador que está à beira do rio.**
2. **É o presente mais bonito que posso dar.**
3. **Quero uma casa que seja grande.**
4. **Penso que está à minha espera.**
5. **Quem está a falar comigo é o João.**
6. **Havia quem gostasse do espectáculo.**
7. **Não penso que ele já lá esteja.**

- **Como se** est toujours suivi en portugais de *l'imparfait du subjonctif*, même si l'on a en français *comme si* + imparfait indicatif.

  Como se tu pudesses. Comme si tu le pouvais.

- *L'imparfait du subjonctif* se forme à partir du radical du parfait (3e personne du pluriel moins **ram**) + la terminaison **sse, sses**, etc.

→ **cantar** - *parfait :* canta**ram**

  Cantasse, cantasses, cantasse, cantássemos, cantásseis, cantassem.

→ **comer** - *parfait :* come**ram**

  comesse, comesses, etc.

→ **partir** - *parfait ;* parti**ram**

  partisse, partisses, etc.

→ **Attention :** certains verbes sont irréguliers au parfait :

  fazer (parfait : **fizeram**) → **fizesse, fizesses**, etc.

  saber (parfait : **souberam**) → **soubesse, soubesses**, etc.

■ CONTROLE

Compléter avec les verbes entre parenthèses :

1. (trazer)-Com se eu......
2. (dizer)-Como se nós......
3. (vir)-Como se ele......
4. (dar)-Como se tu......
5. (pôr)-Como se eles......
6. (poder)-Como se você......
7. (ir)-Como se vós......
8. (gostar de)-Como se vocês......
9. (estar)-Como se tu......
10. (ter)-Como se eu......
11. (ser)-Como se ela......
12. (partir)-Como se nós......

■ CORRIGÉ

1. Como se eu trouxesse
2. Como se nós disséssemos
3. Como se ele viesse
4. Como se tu desses
5. Como se eles pusessem
6. Como se você pudesse
7. Como se vós fôsseis
8. Como se vocês gostassem de......
9. Como tu estivesses......
10. Como se eu tivesse......
11. Como se ela fosse......
12. Como se nós partíssemos......

● Le *conditionnel* se forme à partir de *l'infinitif* + les terminaisons **ia, ias, ia, íamos, íeis, iam.**
    cantar : eu cantaria, tu cantarias, etc.

> **N.B.** → Trois verbes sont irréguliers au conditionnel :
>   **dizer** *dire*   → **diria,** etc.
>   **fazer** *faire*   → **faria,** etc.
>   **trazer** *apporter* → **traria,** etc.

→ Le *conditionnel* peut être couramment remplacé par *l'imparfait de l'indicatif* :
    Il chanterait. **Ele cantava ou cantaria.** (cf. B.52)

● Le *conditionnel* a plusieurs emplois :

→ Il a une valeur de *futur dans le passé* (dans une subordonnée) :
    Ele diz que virá.   Il dit qu'il viendra.
    Ele disse que viria (que vinha). Il a dit qu'il viendrait.

→ il a une valeur d'*affirmation atténuée* :
    Gostaria (ou gostava) muito de viajar.
    J'aimerais beaucoup voyager.

→ il exprime une *hypothèse* dans un *contexte passé* :
    Alguém veio. Quem seria ?
    Quelqu'un est venu. Qui était-ce ?

→ il indique une *hypothèse* (dans une principale) dont la réalisation est *soumise à une condition* qui est exprimée à l'imparfait du subjonctif dans une subordonnée commençant par **se** :
    Se tivesse dinheiro, viajaria (ou viajava)
    Si j'avais de l'argent, je voyagerais.

■ CONTROLE

Traduire

① **Si je le pouvais, je t'apporterais des fleurs.**
② **Il disait qu'il pourrait m'attendre.**
③ **J'aimerais beaucoup acheter ce livre.**

■ CORRIGÉ

① **Se pudesse, trar-te-ia flores (trazia-te).**
② **Ele dizia que poderia esperar-me.**
③ **Gostaria (gostava) muito de comprar este livro.**

Le *subjonctif futur* est un *temps propre au portugais*.

● Il se forme : → à partir du radical du *parfait indicatif* 3e pers. du pluriel *moins* **am** + les désinences propres à ce temps :
Cantar-parfait : canta‌ram
Saber-parfait : soube‌ram

1re pers. sing.	rien	**cantar**	**souber**
2e pers. sing.	**es**	**cantares**	**souberes**
3e pers. sing.	rien	**cantar**	**souber**
1re pers. pl.	**mos**	**cantarmos**	**soubermos**
2e pers. pl.	**des**	**cantardes**	**souberdes**
3e pers. pl.	**em**	**cantarem**	**souberem**

● *Il ne peut être employé que dans une proposition subordon-née* (temporelle, locative, comparative ou conditionnelle, relative).

Il traduit *une idée de futur dont la réalisation peut être incer-taine*. Le verbe de la principale est alors au futur de l'indi-catif, au présent ou à l'impératif :

→ dans une *proposition temporelle*, introduite par **quando** quand, **logo que** aussitôt que, **enquanto** tant que, **enquanto não** en attendant que, **sempre que** toutes les fois que...

> **Quando vieres, traz-me o pão.**
> Quand tu viendras, apporte-moi le pain.
> **Enquanto pudermos, trabalharemos.**
> Tant que nous le pourrons, nous travaillerons.

N.B. : lorsque **quando** est interrogatif, le futur ne peut être traduit par le futur du subjonctif. Il faut employer le futur de l'indicatif :
> Quand viendra-t-il ? **Quando virá ?**

→ dans les *propositions locatives* introduites par **onde** où :
> **Deixa o pacote onde puderes.**
> Laisse le paquet où tu pourras.

→ dans les *propositions comparatives* introduites par **conforme** ou **segundo** *selon que*, **como** *comme* :

> **Farei como puder.** Je ferai comme je le pourrai.

→ dans les *propositions conditionnelles*, introduites par **se** :

> **Vou à praia, se fizer bom tempo amanhã.**
> J'irai à la plage, s'il fait beau demain.

→ dans les *relatives,* le futur du subjonctif indique un futur hypothétique :

> **Quem quiser, vem comigo.** Qui le voudra, viendra avec moi.
> **Façam o que puderem.**   Faites ce que vous pourrez.

■ CONTROLE

Traduire

① **Quand tu iras à la plage, emmène-moi.**
② **Si tu le veux, nous pouvons te prêter de l'argent.**
③ **Qui pourra me dire le train que je dois prendre ?**
④ **Nous t'aiderons autant que nous le pourrons.**

■ CORRIGÉ

① **Quando fores à praia, leva-me.**
② **Se quiseres, podemos emprestar-te dinheiro.**
③ **Quem me poderá dizer que comboio devo tomar ?**
④ **Ajudar-te-emos enquanto pudermos.**

L'*infinitif personnel* est un temps *propre au portugais*.

● Il se forme à partir de *l'infinitif* plus les désinences propres à ce temps :

	cantar	saber
1re pers. sing. rien	cantar	saber
2e pers. sing. **es**	cantares	saberes
3e pers. sing. rien	cantar	saber
1re pers. pluriel **mos**	cantarmos	sabermos
2e pers. pluriel **des**	cantardes	saberdes
3e pers. pluriel **em**	cantarem	saberem

→ **N.B. :** l'*infinitif personnel* et le *futur du subjonctif* ayant les mêmes désinences, il y a parfois risque de confusion, surtout lorsque le parfait est régulier. Cela est impossible si le parfait est irrégulier :

Reg.   *Ineg.*

infinitif :	cantar	saber
parfait (3e pers. pluriel)	cantaram	souberam
futur du subjonctif (idem)	cantarem =	souberem
infinitif personnel (idem)	cantarem	saberem ≠

● Les emplois de ces temps sont différents et ne prêtent pas à confusion.

L'*infinitif personnel* permet d'apporter plus de clarté au discours. Il s'emploie lorsque l'infinitif a un sujet propre, qui peut être différent du sujet du verbe principal. On le trouve :

→ après *des locutions verbales impersonnelles* : **é preciso, é necessário** *il faut,* **é difícil** *c'est difficile de,* etc.

      É preciso pagares.   Il faut que tu payes.
      É difícil esperarmos. Il nous est difficile d'attendre.

N.B. : l'infinitif personnel, permet d'éviter l'emploi du subjonctif :

>**É preciso pagares** ou **É preciso que pagues.**

→ *après une préposition* ou *une locution prépositive* :
>**Ele disse para esperarmos.**
>Il nous a dit d'attendre.

→ après les *verbes auxiliaires* **deixar** *laisser*, **mandar** *comman-*
der, **fazer** *faire*, et leurs synonymes ou les verbes indiquant
une sensation : **ver** *voir*, **ouvir** *entendre*, **sentir** *sentir*.
Il faut alors que l'infinitif personnel soit séparé du verbe dont
il dépend par son sujet propre. On ne peut pas l'employer
s'il suit immédiatement ce verbe ou n'en est séparé que par
le pronom complément ;

>**Oiço os carros buzinarem na rua.**
>J'entends les voitures klaxonner dans la rue.

mais   **Oiço buzinar os carros.**
>J'entends klaxonner les voitures.
>**Deixo-os passar à frente.**
>Je les laisse passer devant.

→ En dehors de ces cas, l'infinitif personnel peut être employé
pour des effets stylistiques.

■ CONTROLE

Traduire
1. **Avant de te coucher, éteins la lumière.**
2. **Je vois les manifestants défiler dans la rue.**
3. **Je les entends crier.**
4. **Il vaut mieux que nous restions à la maison.**

■ CORRIGÉ

1. **Antes de te deitares, apaga a luz.**
2. **Vejo os manifestantes desfilarem na rua.**
3. **Oiço-os gritar.**
4. **É melhor ficarmos em casa.**

Le portugais applique avec rigueur les *règles de concordance des temps*. Elles sont fondées sur le principe suivant lequel le temps du verbe de la proposition principale détermine le *temps du verbe de la proposition subordonnée* qui sera à l'indicatif futur, au subjonctif (futur, présent ou imparfait) ou au conditionnel.

Principales	**Subordonnées**

● *cas de la subordonnée à l'indicatif* (B.58) (affirmation, etc.)

Indicatif, *présent ou futur*	Futur de l'indicatif
Indicatif *(temps du passé)* Conditionnel	Conditionnel Conditionnel

> **Ele diz que virá** Il dit qu'il viendra.
> **Ele dizia que viria.** Il disait qu'il viendrait.

● cas des subordonnées au subjonctif, après les verbes indiquant *une attente* (B.57), après **talvez** (B.66).

● cas des subordonnées au subjonctif futur, après **quando, onde, quem,** etc. (B.61).

Indicatif, *(présent, futur)*	Subjonctif présent Subjonctif futur
Indicatif *(temps du passé)*	Subjonctif imparfait

> **Desejo que ele venha.** Je souhaite qu'il vienne.
> **Desejava que ele viesse.** Je souhaitais qu'il vînt.
> **Ele vai onde eu for.** Il va partout où je vais.
> **Ele ia onde eu fosse.** Il allait partout où j'allais.

● *C'est* : ne pas oublier de mettre ce verbe au passé (imparfait ou parfait de l'indicatif), lorsque le contexte s'inscrit dans le passé (B.25).

■ CONTROLE

Mettre le verbe de la principale (souligné) au parfait, puis transcrire la phrase, en faisant la concordance.

① Ele <u>diz</u> que vem.
② <u>Quero</u> que traga o carro
③ <u>Digo</u>-lhe que venha
④ Quem quiser, <u>pode</u> vir

■ CORRIGÉ

① Ele disse que vinha.
② Queria que trouxesse o carro
③ Disse-lhe que viesse.
④ Quem quisesse, podia vir.

La règle de concordance porte sur les temps et les modes.

Principales	Subordonnées
Français : indicatif (présent, futur, impératif) Portugais : indicatif (présent, futur, impératif)	*si + indicatif présent* **se** + subjonctif futur
Français : indicatif imparfait Portugais : indicatif imparfait	*si + indicatif imparfait* **se** + indicatif imparfait (**se** a alors le sens de **quando**)

Vem se puderes. Viens, si tu le peux.
Ele vinha se podia. Il venait s'il le pouvait (quand il le...)

Principales	Subordonnées
Français : conditionnel présent Portugais : conditionnel présent ou indicatif imparfait (familier)	*si + indicatif imparfait* **se** + subjonctif imparfait

Ele viria (ou vinha) se pudesse.
Il viendrait s'il le pouvait.

Principales	Subordonnées
Français : conditionnel passé Portugais : conditionnel passé ou indicatif plus-que-parfait	*si + indicatif plus-que-parfait* **se*** + subjonctif plus-que-parfait

Ele teria vindo (ou tinha vindo), se tivesse podido.
Il serait venu s'il l'avait pu.

* La structure reste la même lorsque la subordonnée est introduite par le relatif **quem**, et indique une hypothèse :

Quem chegasse cedo, encontrá-lo-ia ou **encontrava-o.**
Celui qui arriverait tôt, le rencontrerait.
Quem chegar cedo, encontrá-lo-á ou **encontra-o.**
Celui qui arrivera tôt, le rencontrera.

■ CONTROLE

Traduire

(1) S'il avait su, il ne serait pas venu.
(2) Si (quand) nous arrivions tard, il n'y avait plus de place.
(3) Il pourrait venir s'il le voulait.
(4) S'il fait beau demain, arrivez tôt.

■ CORRIGÉ

(1) Se ele tivesse sabido, não teria vindo (ou não tinha vindo).
(2) Se (quando) chegávamos tarde, não havia lugar.
(3) Ele podia vir se quisesse.
(4) Se fizer bom tempo amanhã, chegue cedo.

● Les *locutions concessives* sont toujours suivies du *subjonctif* : **embora, ainda que** *bien que* (**embora** n'est jamais suivi de que) ; **se bem que** *quand bien* ; **mesmo que** *même si* ; **posto que** *étant donné que.*

> **Embora corresse, não apanhou o autocarro.**
> Bien qu'il courût, il n'attrapa pas l'autobus.

● Traduction de *avoir beau*

→ **Por mais que, por muito que** + subjonctif lorsque la concession *porte sur un verbe sans complément :*

> **Por mais (muito) que trabalhe, ele não ganha suficientemente.**
> Il a beau travailler, il ne gagne pas suffisament.

→ **Por mais** + nom + **que** + subjonctif, lorsque la concession *porte sur le nom qui est complément du verbe.*

> **Por mais esforços que fizesse, não acabou o trabalho.**
> Il a eu beau faire des efforts, il n'a pas fini son travail.

N.B. : Remarquer la construction ; le nom se place après **por mais.**

→ Lorsque la concession *porte sur un adjectif :* même construction (**por mais** + adj. + **que** + subjonctif) :

> **Por mais rico que seja, é muito avarento.**
> Il a beau être riche, il est très avare.
> Si riche soit-il......

→ On peut aussi traduire par *si* + adj. + subjonctif (inversion sujet).

N.B. : Ne pas oublier de respecter la concordance des temps (B.63).

■ CONTROLE

Traduire

① **Elle a beau avoir des vacances, elle n'est jamais contente.**
② **Il ne m'attendra pas, même si j'arrive à l'heure.**
③ **Si attentif soit-il, il n'a pas remarqué l'erreur.**
④ **Il a beau chanter, il est toujours triste.**

■ CORRIGÉ

① **Por mais férias que tenha, ela nunca está contente.**
② **Ele não espera por mim, mesmo que eu chegue à hora.**
③ **Por mais atento que estivesse, não reparou no erro.**
④ **Por mais que ele cante, está sempre triste.**

● **Talvez** *peut-être* précède le verbe : celui-ci est au *subjonctif, présent ou imparfait* (suivant la concordance des temps, cf. B.63).

→ **N.B. :** talvez n'est jamais suivi d'un futur du subjonctif :
    Escreveu que talvez viesse.
    Il a écrit qu'il viendrait peut-être.
    Amanhã talvez vá ao cinema.
    Demain j'irai peut-être au cinéma.

● **Talvez** est placé *après le verbe* ; celui-ci reste à *l'indicatif* :
    O que dizes é talvez verdade.
    Ce que tu dis est peut-être vrai.

■ CONTRÔLE

Traduire
① **Nous partirons peut-être demain.**
② **Peut-être y aura-t-il moins de circulation.**
③ **Il a écrit qu'il pourrait peut-être nous recevoir.**

■ CORRIGÉ

① **Partiremos talvez amanhã.**
② **Talvez haja menos trânsito.**
③ **Ele escreveu que talvez nos pudesse receber.**

Le pronom *on* n'ayant pas d'équivalent en portugais, il est traduit de *plusieurs façons* :

→ *verbe à la 1re personne du pluriel* (lorsqu'on peut se considérer inclus dans le *on*) : **Não trabalhamos ao domingo.**
On ne travaille pas le dimanche.

→ **A gente** + *le verbe à la 3e personne du singulier*, dans la langue familière : **A gente trabalha...** On travaille...

→ *Verbe à la 3e personne du pluriel* lorsque le sujet est inconnu : **Batem à porta.** On frappe à la porte.

→ *Le verbe est à la forme pronominale* lorsque le *verbe français* est suivi *d'un complément d'objet direct* ; il s'accorde en nombre avec celui-ci (car il devient son sujet) :
Vendem-se vivendas. On vend des villas.
Vende-se carro. On vend une voiture.

→ *Verbe à la forme pronominale à la 3e personne du singulier* : cette tournure est possible avec **dizer** *dire*, **anunciar** *annoncer* : **Diz-se** (ou **dizem**). On dit.
Anuncia-se (ou **anunciam**). On annonce.

■ CONTROLE

Traduire

① **On entend toujours les mêmes nouvelles.**
② **On dit qu'il va pleuvoir.**
③ **On sonne à la porte.**
④ **De ma maison, on voit le fleuve.**
⑤ **On s'amuse beaucoup à l'école.**

■ CORRIGÉ

① **Ouvem-se sempre as mesmas notícias.**
② **Dizem que vai chover./Diz-se que...**
③ **Tocam à campainha.**
④ **De minha casa, vê-se o rio.**
⑤ **Divertimo-nos muito na escola.**

● **Quem** *qui*, désigne *toujours une personne*. Il a deux emplois :

→ *pronom interrogatif* (interroge sur une ou plusieurs personnes) :

> **Quem telefonou ?**
> Qui a téléphoné ?

→ *pronom relatif* (il s'emploie toujours pour des personnes, mais seulement lorsqu'il est précédé d'une préposition) :

> **Não sei de quem é este livro.**
> Je ne sais pas à qui est ce livre.
> **A mulher com quem falava é minha tia.**
> La femme avec qui tu parlais est ma tante.

→ **N.B. :** dans tous les autres cas *qui* désignant une personne se traduit par **que** :

> **É o meu filho que vai na rua.**
> C'est mon fils qui passe dans la rue.

● **Que** *(qui ou que)* désigne soit *une personne*, soit *un animal*, soit *une chose*, un nom abstrait. Il traduit :

→ *qui* (pronom sujet) :

> **O livro que está em cima da mesa.**
> Le livre qui est sur la table.
> **A criança que brinca.**
> L'enfant qui joue.

→ *que* (pronom complément) :

> **A música que oiço é bonita.**
> La musique que j'entends est belle.
> **A pessoa que espero é inglesa.**
> La personne que j'attends est anglaise.

■ CONTROLE

Traduire

1. A qui écris-tu ?
2. Qui sont les amis avec qui tu pars en vacances ?
3. Apporte le livre que j'ai demandé et qui est dans la chambre.

■ CORRIGÉ

1. A quem estás a escrever ?/A quem escreves ?
2. Quem são os amigos com quem vais de férias ?
3. Traz o livro que eu pedi e que está no quarto.

● **Qual**, *adjectif exclamatif*, s'accorde *en nombre* avec le nom auquel il se rapporte. Il indique le doute, l'étonnement *(quel(s) quelle(s))* :

Qual história !	**Quais histórias !**
Quelle histoire !	Quelles histoires !

→ **N.B. :** il est d'un emploi plus rare que **que** exclamatif (invariable) marquant l'étonnement :

Que mundo este !	**Que vida !**
Quel monde !	Quelle vie !

● **Qual**, *interrogatif*, indique un choix entre plusieurs personnes ou plusieurs objets *(lequel, lesquels, laquelle, lesquelles - quel(s) quelle(s))* :

Qual dos teus filhos é o mais velho ?
Lequel de tes enfants est l'aîné ?
Quais destes livros preferes ?
Parmi ces livres quels sont ceux que tu préfères ?

→ **N.B. :** on n'emploie pas d'article devant **qual** interrogatif.

● **Qual**, *relatif* (adjectif ou pronom), marque l'insistance :

adjectif	*pronom*
qual, quais	**o/a qual - os/as quais**

As pessoas com as quais viajei, eram simpáticas (peu courant).
As pessoas com quem viajei, eram simpáticas (plus courant).
Les personnes avec lesquelles (avec qui) j'ai voyagé étaient sympathiques.

● *L'adjectif est d'un emploi rare ;* il est souvent en corrélation avec **tal** :

Tal qual. Tel quel (telle quelle).
Tais quais. Tels quels (telles quelles).

● **Qualquer, quaisquer** *n'importe quel(s), n'importe quelle(s) quel(s) que, quelle(s) que.*

→ Cet indéfini est essentiellement *un adjectif*, même si le portugais l'admet parfois comme pronom.

→ Il s'accorde *en nombre* seulement avec le nom (seul **qual**
varie).

> **Qualquer ajuda, é útil.** N'importe quelle aide est utile.
> **Qualquer aluno sabe isso.** N'importe quel élève sait cela.
> **Aceitava quaisquer soluções.** J'accepterais n'importe quelles
> solutions.
> **Qualquer das soluções convém** (emploi de pronom).
> N'importe laquelle des solutions convient.

N.B. : *au Brésil* on préférerait dire : **Qualquer <u>uma</u> das soluções
convém.**

● **Expressions :**

→ **quem quer que seja, qualquer pessoa, seja quem for**
n'importe qui,

→ **seja o que for, qualquer coisa** *n'importe quoi.*

■ CONTROLE

Traduire

① **Laquelle de ces robes choisis-tu ?**
② **Il y avait beaucoup d'hommes parmi lesquels j'ai vu ton
père.**
③ **Quels que soient les motifs, ils ne pouvaient sortir.**

■ CORRIGÉ

① **Qual destes vestidos escolhes ?**
② **Havia muitos homens, entre os quais vi o teu pai.**
③ **Quaisquer que fossem os motivos, não podiam sair.**

Le pronom relatif *dont* se traduit par :

● **cujo(s), cuja(s),** lorsque le nom dont il dépend *est précédé de l'article défini.*

→ *Attention à la construction :* elle est différente de la construction française. **Cujo** est toujours suivi du nom dont il dépend ; il s'accorde en genre et en nombre avec lui et l'article défini disparaît.

> **O jardim cujas flores são belas.**
> Le jardin dont les fleurs sont belles.
> **Os carros cujo barulho ouço.**
> Les voitures dont j'entends le bruit.

● **de que - do qual - da qual - dos quais - das quais**

→ Lorsque le nom dont dépend *dont* n'est pas précédé d'un article défini, il est impossible de traduire *dont* par **cujo.** Il se traduit par **de que** (ou **do qual,** qui varie en accord avec l'antécédent). La construction reste proche de la construction française.

> **A exposição de que (da qual) guardo uma boa recordação.**
> L'exposition dont je garde un bon souvenir.

→ Lorsque *dont* dépend d'un verbe :

> **A história de que me falaste é divertida.**
> L'histoire dont tu m'as parlé est amusante.

■ CONTROLE

Traduire

① **La ville dont le prince est un enfant.**
② **J'ai oublié le livre dont tu m'avais parlé.**
③ **La revue dont j'ai lu un résumé est brésilienne.**

■ CORRIGÉ

① **A cidade cujo príncipe é uma criança.**
② **Esqueci-me do livro de que me tinhas falado.**
③ **A revista de que li um resumo é brasileira.**

- Il traduit *dont* lorsque celui-ci complète un nom précédé de l'article défini (voir B.70) :

  > **A criança cuja voz oiço.**
  > L'enfant dont j'entends la voix.

- Il traduit *duquel, de laquelle, desquelles, de qui* lorsqu'il est précédé d'une préposition :

  > **As casas em cujos telhados havia antenas de televisão.**
  > Les maisons sur les toits desquelles il y avait des antennes de télévision.

→ **N.B. :** la construction de la phrase avec **cujo** reste la même, même lorsqu'il est précédé d'une préposition. Il est directement suivi du nom dont il dépend, avec lequel il s'accorde et l'article qui précède le nom en français disparaît.

■ CONTROLE

Traduire

1. L'ami en compagnie de qui j'allais est parti.
2. J'aime ce jardin dont je contemple les fleurs tous les jours.
3. La famille dans la maison de laquelle j'ai été hébergée est portugaise.

■ CORRIGÉ

1. O amigo em cuja companhia eu andava partiu.
2. Gosto deste jardim cujas flores contemplo todos os dias.
3. A família em cuja casa fiquei hospedada é portuguesa.

● **Onde** (interrogatif ou non) lorsqu'il *indique le lieu.*

> **Onde vais (onde é que vais) ?** Où vas-tu ?
> **Ele perguntou-me onde eu queria ir.**
> Il m'a demandé où je voulais aller.
> **Há lugares onde me sinto bem.**
> Il y a des endroits où je me sens bien.

→ **N.B. : onde** interrogatif, peut être précédé d'une préposition qui indique le *sens d'un mouvement :*

> **Aonde vai ?** (le lieu où l'on va)
> **Donde vem ?** (le lieu d'où l'on vient)
> **Para onde vai ?** (dans quelle direction)
> **Por onde vai ?** (par où)

● **Em que** lorsqu'il *s'agit du temps.*

> **Fiz anos no dia em que chegaste.**
> C'était mon anniversaire, le jour où tu es arrivé.
> **Ele partiu no ano em que nasceste.**
> Il est parti l'année où tu es né.

■ CONTROLE

Traduire

① Je ne sais pas où il est allé.
② Le téléphone a sonné au moment où tu es rentré.
③ Je suis bien où que ce soit.
④ Où sont les enfants ?
⑤ Dans l'état où je me trouve je ne peux pas sortir.

■ CORRIGÉ

① **Não sei onde é que ele foi.**
② **O telefone tocou na altura em que tu chegaste.**
③ **Estou bem onde quer que seja.**
④ **Onde estão as crianças ?**
⑤ **No estado em que estou não posso sair.**

● *En* et *y*, pronoms personnels, se traduisent par :

→ un *pronom personnel complément*, lorsqu'ils remplacent quelqu'un ou quelque chose :

> **Penso nele muitas vezes.** J'y pense souvent (à lui).
> **Falo nela muitas vezes.** J'en parle souvent (d'elle).

→ un *démonstratif neutre*, lorsqu'ils expriment une idée :

> **Conto com isso.** J'y compte (sur ce que tu vas me donner).

Attention : pronoms personnels et démonstratifs se contractent avec les prépositions qui les introduisent.

● *En* et *y*, adverbes de lieu, se traduisent par les adverbes de lieu qui conviennent :

> **Venho de lá.** J'en viens.
> **Vou lá/ali.** J'y vais.

● *En* et *y* peuvent ne pas se traduire

→ si le sens est évident :

> **Vais a Portugal ?** Vas-tu au Portugal ? **Vou.** J'y vais.

→ lorsqu'ils sont en corrélation avec des indéfinis :

> **Gosto de bolos : como demasiados.** J'aime les gâteaux : j'en mange trop.

● *Expression idiomatique :*

> **Estou farto.** J'en ai assez (c'est un homme qui parle).
> **Estou farta.** J'en ai assez (c'est une femme qui parle).

■ CONTROLE

Traduire

① J'aime le cinéma, mais je n'y vais pas souvent.
② Je ne peux pas m'y habituer.
③ Je viens du Brésil. Tu en arrives aussi.
④ Il en parle souvent (de son frère).

■ CORRIGÉ

① **Gosto de cinema, mas não vou muitas vezes.**
② **Não me posso habituar a isso.**
③ **Venho do Brasil. Também vens de lá.**
④ **Fala muitas vezes nele.** (no irmão)

pronom indéfini neutre (invariable)	*adjectif ou pronom indéfini* (variable)
tudo (invariable)	**todo-todos** **toda-todas**

    Quer tudo. Il veut tout.   **Todos vieram.** Tous sont venus.

● **Ne pas confondre :**

→ **tudo,** *pronom indéfini neutre.* Il a une valeur de collectif. C'est le contraire de l'indéfini **nada** (*rien*).
    Não comi tudo. Je n'ai pas tout mangé.

→ **o todo,** *substantif invariable* (le tout opposé à la partie).

→ **todo, todos, toda, todas,** *adjectif ou pronom indéfini.*
    Todos vieram hoje. Todo o mundo está contente.
    Tous sont venus aujourd'hui. Tout le monde est content.

Remarques :

→ devant un nom **todo, todos,** etc., est toujours suivi de l'article défini au Portugal mais pas au Brésil :
    Todo o homem (Port.). **Todo homem** (Brésil). Tout homme.

→ **Toda a gente** comme **todo (o) mundo** est un collectif singulier à valeur de pluriel :
    Toda a gente está presente.
    Tout le monde est présent/tous sont présents.

● **nada** (invariable), indéfini négatif, *rien*, a deux constructions possibles :

→ placé après le verbe, il est en corrélation avec **não,** placé, lui, devant le verbe :
    Não vejo nada. Je ne vois rien.

→ placé devant le verbe, **nada** est mis en relief. Il n'est plus accompagné de la négation **não** :

> **Nada vejo.** Je ne vois rien du tout.

■ CONTROLE

Traduire

① Je veux dormir toute la nuit.
② Je veux tout ce qui est sur la table.
③ J'entends tout, je ne vois rien.
④ Tout homme a droit au travail.
⑤ C'est un tout.

■ CORRIGÉ

① **Quero dormir toda a noite.**
② **Quero tudo o que está em cima da mesa.**
③ **Ouço tudo, não vejo nada.**
④ **Todo o homem tem direito ao trabalho.**
⑤ **É um todo.**

	pronoms (invariables)	adjectifs ou pronoms (variables)	
		masculin	féminin
quelque(s)		**algum/ alguns - uns**	**alguma/ algumas - umas**
quelqu'un(e)	**alguém**	**algum/ alguns**	**alguma/ algumas**
quelque	**algo (alguma coisa)**		
aucun(s) *aucune(s)*		**nenhum/nenhuns** **nenhuma(s)** ou **não... nom + algum(s)**	
personne	**ninguém**	**nenhum/nenhuns nenhuma(s)**	

- *pronom :*

  Alguém veio ? Não, não vi ninguém.
  Quelqu'un est-il venu ? Non, je n'ai vu personne.
  Ouviram alguns destes boatos ?
  Avez-vous entendu quelques-uns de ces faux bruits ?
  Não, não conhecemos nenhuns.
  Non, nous n'en connaissons aucun.

- *adjectif :*

  Sinto algum prazer (alguma alegria) nisso.
  Je ressens quelque plaisir (quelque joie) à cela.
  Comprei uns bons livros (ou alguns bons livros).
  J'ai acheté quelques bons livres.

- *Remarques sur l'emploi des indéfinis négatifs.*
  Ninguém, nenhum(a), nada *(rien)* ont deux constructions :

→ **Não** + *verbe* + **ninguém, nenhum, nada** (plus courant).
  Não vejo ninguém. Je ne vois personne.

→ **Ninguém, nenhum, nada** + *verbe* (emphase, littéraire).
  Ninguém veio. Personne n'est venu.

● Valeurs de **algum(a)** :

→ **algum(a)** a le sens de *quelque*, s'il est devant le nom :
    Alguns livros. Quelques livres.

→ **algum(a)** a le sens de *aucun(e)* dans une phrase négative, s'il est placé après le nom (emphase).
    Não tenho nenhuma paciência.
    Je n'ai aucune patience.
    Não tenho paciência alguma !
    Je n'ai vraiment aucune patience !

■ CONTROLE

Traduire

① **As-tu quelques bons amis ? Oui, j'en ai quelques-uns.**
② **Quelqu'un a-t-il vu mon livre ? Non, personne.**
③ **Je n'ai aucun courage** (3 possibilités).

■ CORRIGÉ

① **Tens alguns bons amigos ? Sim, tenho alguns.**
② **Alguém viu o meu livro ? Não ninguém o viu.**
③ **Não tenho nenhuma coragem** (ou **nenhuma coragem tenho**, ou **não tenho coragem alguma**).

- *Comparatif de supériorité* : **mais** + adjectif + **(do) que**

- *Comparatif d'infériorité* : **menos** + adjectif + **(do) que**
  O João é mais alto (do) que o Pedro.

Jean est plus grand que Pierre.

> **A Maria é menos alegre (do) que a Rosa.**
> Marie est moins joyeuse que Rose.

- **Que** ou **do que** pour introduire le second élément de la comparaison, lorsque celle-ci porte sur un adjectif :
  > **Ele está mais contente do que a minha irmã.**

Il est plus content que ma sœur.

→ **Do que** est préférable lorsque le verbe est exprimé ou fortement sous-entendu.

→ **Do que** est obligatoire lorsque la comparaison porte sur deux verbes :
  > **Trabalho mais do que descanso.**
  > Je travaille plus que je ne me repose.

- Lorsque le 2e élément est *moi, toi, soi, lui, nous, vous, eux*, il faut employer le pronom sujet : **eu, tu, ele, ela, nós, vós, elas, eles** (il s'agit du sujet réel d'un verbe sous-entendu) :
  > **Ele está mais contente do que tu.**
  > Il est plus content que toi.

- Certains adjectifs ont un comparatif de supériorité irrégulier :
  Bom *bon* → **melhor** *meilleur*
  Mau *mauvais* → **pior** *pire*
  Grande *grand* → **maior** *plus grand*

→ **N.B. :** Ces comparatifs irréguliers sont invariables au féminin (B.13) :
  > **A minha casa é maior que a tua.**
  > Ma maison est plus grande que la tienne.

- Expressions : **Quanto mais...... mais** *plus...... plus.*
- Expressions : **Quanto menos...... menos** *moins...... moins.*
  > **Quanto mais ele trabalha, mais contente fica.**
  > Plus il travaille, plus il est content.

■ CONTROLE

Traduire

① **Nos bicyclettes sont meilleures que les leurs.**
② **Je mange moins que je ne bois.**
③ **Ma voiture est plus rapide que la tienne.**
④ **Sa traduction est plus mauvaise que la mienne.**

■ CORRIGÉ

① **As nossas bicicletas são melhores (do) que as deles.**
② **Como menos do que bebo.**
③ **O meu carro é mais rápido (do) que o teu.**
④ **A sua tradução é pior (do) que a minha.**

- **Tão** + adjectif + **como** : *aussi* + adjectif + *que* :
    Ela é tão elegante como a irmã.
    Elle est aussi élégante que sa sœur.

- **Tanto** (invariable) + verbe + **como** : *autant...que* :
    Ela come tanto como eu.
    Elle mange autant que moi.

- **Tanto** (variable) + nom + **como** : *autant de...que* :
    Há tantos rapazes como raparigas.
    Il y a autant de garçons que de filles.

    Nesta cidade há tantas casas como em Paris.
    Dans cette ville, il y a autant de maisons qu'à Paris.

Remarques :

→ **Como** introduit toujours le deuxième élément d'un comparatif d'égalité.

→ Lorsque le 2e élément est le pronom *moi, toi, soi, lui, elle, nous, vous, eux*, il doit se traduire par le pronom sujet ; **eu, tu, eles, elas, nós, vos, eles, elas.**

→ Au *Brésil*, le 2e élément de la comparaison peut-être introduit par **quanto**(s), **quanta**(s), surtout dans la langue écrite. **Tão...quanto ; tanto**(s)... **quanto**(s), etc.

■ CONTROLE

① **La vie est aussi chère au Portugal qu'en France.**
② **Il y a autant de places dans cette salle que dans l'autre.**
③ **Il ne s'amuse pas autant qu'il le dit.**

■ CORRIGÉ

① **A vida é tão cara em Portugal como em França.**
② **Há tantos lugares nesta sala como na outra.**
③ **Ele não se diverte tanto como diz.**

- *Le superlatif relatif :*
  o mais - a mais...que + *indicatif : le (la,les) plus...*
  o mais - a mais...de + *nom*

  > **É o melhor que ele pode fazer.**
  > C'est le mieux qu'il puisse faire.
  > **É o melhor de todos.** C'est le meilleur de tous.

→ **Attention :** le verbe qui se trouve dans la proposition complément du superlatif est au *subjonctif* en français, mais à *l'indicatif* en portugais (B.58).

  > C'est le travail le plus difficile qu'il puisse y avoir.
  > **É o trabalho mais difícil que pode haver.**

- *Le superlatif absolu :*
  muito + adjectif   }
  adjectif + **íssimo**   }   *très* + adjectif :

  > **É muito lindo** ou **é lindíssimo.** C'est très beau.

  N.B. :

→ si l'adjectif se termine par une voyelle atone, celle-ci disparaît : **contente → contentíssimo.**

→ si l'adjectif se termine par **co, ca, go, ga,** le **c** et le **g** sont remplacés respectivement par **qu** et **gu** :
  > **Fraco → fraquíssimo.** Faible → très faible.

- Il existe quelques *superlatifs absolus irréguliers :*
  > **Bom → óptimo** très bon ; **mau → péssimo** très mauvais ;
  > **fiel → fidelíssimo** très fidèle.
  > **Amigo → amicíssimo** très ami ; **feliz → felicíssimo** très heureux.
  > **Antigo → antiquíssimo** très ancien.
  > **Fácil → facílimo** très facile.
  > **Difícil → dificílimo** très difficile.

■ CONTROLE

1. Il est très vieux.
2. C'est le plus beau film que j'aie vu.
3. C'est le plus rapide de tous les trains.

■ CORRIGÉ

1. **É velhíssimo/é muito velho.**
2. **Foi o mais belo filme que vi. (attention à la concordance des temps).**
3. **É o mais rápido dos comboios.**

B.79 - Les diminutifs

● *Les diminutifs* sont d'un emploi *très courant* au Portugal et au Brésil. Ils peuvent indiquer une dimension plus petite. Ils ont le plus souvent une *valeur affective.*

> **Uma casinha.** Une petite maison.
> **Mãezinha.** Chère (petite) maman.

● **Inho-zinho** sont les suffixes diminutifs les plus employés.

Inho	Zinho s'ajoute aux
●*mot terminé par* **o,** *ou* **a** *atones* **a casa** la maison **a casinha** la petite maison **o bolo** le gâteau **o bolinho** le petit gâteau **N.B.** le **o** ou le **a** atone final disparaît; **casa = casinha.**	●*mots terminés par* **e** *atone:* **pobre** pauvre → **pobrezinho** pauvret ●*mots terminés par une voyelle tonique:* **o avô** le grand-père → **o avôzinho.** **o café** le café → **o cafezinho.** **o pai** le père → **o paizinho.** ●*mots terminés par une voyelle nasale ou une diphtongue:* **a irmã** la sœur → **a irmãzinha.** **o irmão** le frère → **o irmãozinho.** ●*mots terminés par une consonne:* **a mulher** la femme → **a mulherzinha.**

N.B.: Ne pas oublier les modifications orthographiques

→ lorsque le mot est terminé par **co, go** :
> **amigo** ami → **amiguinho**
> **fraco** faible → **fraquinho**

→ lorsque le mot est terminé par **m** : devant **zinho (a) m** devient **n** :
> **o homem** l'homme → **o homenzinho.**

● *Le suffixe du diminutif ne change pas le genre du nom de base*, et n'empêche pas l'accord d'un adjectif porteur du suffixe.

● Certains pluriels des diminutifs terminés par **zinho** sont délicats. Il s'agit des mots dont le pluriel est irrégulier. Il faut en effet mettre au pluriel à la fois le mot et la terminaison, mais le **s** du pluriel du nom disparaît.

botão bouton **botões**	**flor** fleur **flores**
botãozinho botõezinhos	**florzinha florezinhas**

anel bague **anéis**
anelzinho anéizinhos

■ CONTROLE

Traduire
① Petits chiens.
② Petit garçon.
③ Maisonnette.
④ Cher père.
⑤ Petite sœur.
⑥ Petits ballons.
⑦ Petit nuage.

■ CORRIGÉ

① **Cãezinhos.**
② **Rapazinho.**
③ **Casinha.**
④ **Paizinho.**
⑤ **Irmãzinha.**
⑥ **Balõezinhos.**
⑦ **Nuvenzinha.**

● Le *suffixe* **ão** et ses variantes — **zarrão, arrão, eirão, alhão** — permettent de former les augmentatifs. Ils sont moins employés que les diminutifs. Ils peuvent indiquer :

→ une dimension plus grande,
→ une valeur affective (le plus souvent).
  A palavra le mot → **o palavrão** le gros mot.
  A faca le couteau → **o facão** le coutelas.

N.B. : les augmentatifs en **ão** sont toujours masculins quel que soit le genre du nom.

● *Formation :* **ão** et **zarrão** sont les suffixes les plus usités.

ão	zarrão
remplace le **a** ou le **o** atones des mots : **a faca** → **o facão**	s'ajoute aux mots terminés par une consonne : **o homem** → **o homenzarrão** grand gaillard mais **mulher : o mulherão** forte femme, hommasse.

N.B. : il existe d'autres formes du suffixe en **ão** : **alhão, eirão, arrão.**

gato chat → **gatarrão** gros chat
grande → **grandalhão** très grand (péjoratif)
a voz la voix → **o vozeirão** grosse et forte voix.

● Autres suffixes diminutifs ou augmentatifs :
Ces suffixes sont d'un emploi plus rare et ont une valeur affective (ironique ou le plus souvent péjorative).

Diminutifs			*Augmentatifs*		
ito/a	**casita**	maisonnette	**aço/a** (péj.) **ricaço**		richard
eta	**saleta**	petite salle	**arra** (péj.) **bocarra**		grande
eco (péj.)	**livreco**	mauvais livre			bouche
ote (iron.)	**velhote**	petit vieux	**orra** (péj.) **cabeçorra**		grosse tête
ola (péj.)	**rapazola**	gamin			

■ CONTROLE

Former les augmentatifs des mots suivants, en précisant devant les noms les articles définis qui conviennent :

① Homem
② Mulher
③ Voz
④ Palavra
⑤ Grande
⑥ Faca.

■ CORRIGÉ

① O homenzarrão
② O mulherão
③ O vozeirão
④ O palavrão
⑤ Grandalhão
⑥ O facão ou O facalhão

adverbe	(invariable)	adjectif (variable)				
		masc. sing.	fém. sing.	masc. pl.	fém. pl.	
muito	beaucoup très	muito	muita	muitos	muitas	beaucoup de
pouco	peu	pouco	pouca	poucos	poucas	trop de
bastante	assez	bastante		bastantes		assez de
demasiado	trop	demasiado	demasiada	demasiados	demasiadas	trop de

Emploi :

● *Invariables,* lorsque ces adverbes de quantité modifient *un verbe* ou *un adjectif* :

> **Como pouco.** Je mange peu.
> **É muito bonita.** Elle est très belle.

● *Variables* : ils s'accordent avec *le nom* qu'ils modifient (ils deviennent adjectifs). Le *de* français ne se traduit pas.

> **Temos muita coragem.** Nous avons beaucoup de courage.
> **Há demasiadas pessoas na sala**
> Il y a trop de gens dans la salle.
> **Há pouco barulho.** Il y a peu de bruit.
> **Tenho poucos livros.** J'ai peu de livres.

■ CONTROLE

Traduire

① **Des tas** (mot à mot : **beaucoup**) **d'enfants n'aiment pas beaucoup travailler.**
② **Les voyages en avion sont trop chers.**
③ **Aujourd'hui il y a peu de monde dans cette rue très animée.**

■ CORRIGÉ

① **Muitas crianças não gostam muito de trabalhar.**
② **As viagens de avião são demasiado caras.**
③ **Hoje há pouca gente nesta rua muito animada.**

● *Aussi*
→ **Também** *également* se place de préférence avant le verbe :
    O Pedro também veio. Pierre est venu aussi.

→ **Tão** (premier élément d'une comparaison d'égalité) :
    Ele é tão novo como eu. Il est aussi jeune que moi.

→ **É por isso/foi por isso** (sens de *c'est pourquoi*) :
    Chamei-o; foi por isso que ele veio. Je l'ai appelé, aussi est-il venu.

● *Même*
→ **Mesmo** (indique la similitude, l'identité) :
    É o mesmo exemplo. C'est le même exemple.

→ **Mesmo (próprio)** employé avec un pronom indique l'insistance :
    Veio ele próprio/veio ele mesmo. Il est venu lui-même.

→ **Até** (sens de *jusqu'à, y compris*)
    Ele é distraído, até perdeu a chave. Il est étourdi, il a même perdu sa clef.

● *Ne pas même*, **nem sequer.**
    Ele nem sequer esperou por mim. Il ne m'a pas même attendu.

→ **Attention** à la construction de **nem sequer** : placé devant le verbe, **sequer** peut être sous-entendu :
    ele nem esperou por mim.

● *Tout de même :* **Ainda assim, nem assim, assim mesmo.**
● *De même que :* **Assim como, como.**
● *Même que :* **Mesmo que** (subjonctif).

■ CONTROLE

Traduire

① Il n'avait pas d'argent, il n'a même pas payé son taxi.
② Il nous a même aidés.
③ Il est toujours le même.
④ Il est venu porter lui-même le cadeau.

■ CORRIGÉ

① **Ele não tinha dinheiro, nem sequer pagou o táxi.**
② **Ele até nos ajudou.**
③ **Ele é sempre o mesmo.**
④ **Ele próprio veio trazer o presente.**

	exclamatif	*consécutif*	*comparatif*
+ verbe **invariable**	**tanto**	**tanto... que**	**tanto... como**
tellement tant autant	**Trabalho tanto !** Je travaille tellement ! (tant !)	**Trabalho tanto que adoeci.** Je travaille tellement que je suis tombé malade.	**Trabalho tanto como tu.** Je travaille autant que toi.
+ nom **variable**	**tanto(s)** **tanta(s)**	**tanto(s)... que** **tanta(s)... que**	**tanto(s)... como** **tanta(s)... como**
tant de autant de	**Há tanta gente !** Il y a tant de monde !	**Há tanta gente que não vejo !** Il y a tant de monde que je ne vois pas.	**Há tanta gente aqui como na rua.** Il y a autant de monde ici que dans la rue.
+ adjectif	**tão** (invariable)	**tão... que**	**tão... como**
tellement si aussi	**Ele é tão rico !** Il est si riche	**Ele é tão rico que já não trabalha.** Il est si riche qu'il ne travaille plus.	**Ele é tão rico como ela.** Il est aussi riche qu'elle.

● **Remarques :**
→ **Tanto(s), tanta(s)** + un nom, est un adjectif. Il s'accorde avec ce nom ; le *de* français ne se traduit pas (même construction que **muito, pouco**, B.81).

       Há tanta gente   Il y a tant de monde.

→ **Tão, tanto(s)... como.** Au Brésil, on trouve souvent, surtout dans la langue écrite, **tão, tanto(s)... quanto(s)** (voir B.77, Remarque 3).

→ **Tão... que, tanto(s)... que,** on trouve aussi dans la langue classique **tão... quão, tanto(s)... quanto(s).**

       Trabalho tanto quanto posso.
       Je travaille autant que je peux.

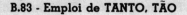

● *Expressions :*

→ **Tanto mais (menos)... que ;** *d'autant plus (moins)... que*
   Ele está tanto mais alegre que ganhou muito.
   Il est d'autant plus content qu'il a gagné beaucoup.

■ CONTROLE

① Il est si maigre et pourtant il mange tant !
② Il y a tant de problèmes à résoudre !
③ Il était d'autant plus intéressé qu'il avait envie de rester.
④ Il est si faible qu'il n'arrive pas à marcher.
⑤ J'ai autant de courage que toi.

■ CORRIGÉ

① Ele é tão magro e no entanto come tanto !
② Há tantos problemas para resolver !
③ Ele estava tanto mais interessado que tinha vontade de ficar.
④ Ele está tão fraco que não consegue andar.
⑤ Tenho tanta coragem como tu.

Quelques chiffres cardinaux s'accordent avec le nom :

● **Um, Uma** un, une. **Dois, duas** deux.
Dois livros. Deux livres. **Duas mesas.** Deux tables.

● Les chiffres des centaines (à partir de 200) s'accordent au féminin :
> **Duzentos escudos.** Deux cents écus.
> **Duzentas liras.**   Deux cents lires.

● *Cent* peut se traduire par **cem** et par **cento** :

→ **Cem** s'il y a une multiplication :
> **Cem livros.** Cent livres.

→ **Cento** s'il y a addition de dizaines ou d'unités :
> **Cento e um.** Cent un.
> **Cento e trinta e cinco.** Cent trente-cinq.

→ Il faut employer **e** *(et)* entre le chiffre des *unités et des dizaines, des dizaines et des centaines.*
> **Vinte e cinco.** Vingt-cinq.
> **Cento e quarenta e oito.** Cent quarante-huit.

● **Mil** *mille* est invariable.

● Entre *mille* et les *centaines* il y a deux cas :

→ On emploie **e** *(et)* entre *mille* et le nombre qui suit s'il s'agit d'un nombre entier :
> **Mil e quinhentos.** 1500.
> **Mil e oitenta.** 1080.
> **Mil e um.** 1001.

→ Dans les autres, on ne peut employer **e** :
> **Mil quinhentos e setenta e seis** 1576.

■ CONTROLE

Écrire en toutes lettres :
1. **354 horas**
2. **2 minutos**
3. **1532**
4. **400 pessoas.**
5. **1600**
6. **164 cadeiras** (chaises)
7. **2 árvores** (arbres)

■ CORRIGÉ

1. **Trezentas e cinquenta e quatro horas**
2. **Dois minutos**
3. **Mil quinhentos e trinta e dois**
4. **Quatrocentas pessoas**
5. **Mil e seiscentos**
6. **Cento e sessenta e quatro cadeiras**
7. **Duas árvores**

● *Les multiplicatifs*

Seuls deux d'entre eux appartiennent à la langue courante :
double **dobro/duplo** et *triple* **triplo.**

→ **Dobro** s'emploie comme substantif :
  Custou-me o dobro do preço.
  Ça m'a coûté le double du prix.

→ **Duplo** est adjectif :
  Ele tomou uma dose dupla do remédio.
  Il a pris une double dose du médicament.

Au-delà, les multiplicatifs sont rarement employés.

● *Les fractionnaires*

Les nombres fractionnaires présentent des formes propres :
meio *demi*, **metade** *moitié*, **terço** *tiers.*

→ Dans les autres cas on emploie les ordinaux correspondants :
  quarto, quinto, etc.

● **Remarques :**

→ **Meio** n'est pas précédé d'article indéfini :
  Meia-hora. Une demi-heure.

→ Ne pas confondre : **a terça parte** = **um terço** *un tiers*
                    a terceira parte *la troisième partie.*

■ CONTROLE

Traduire

① **Je gagne 10 000 F. Tu gagnes le double.**
② **Il a mis un tiers de son argent dans l'affaire.**
③ **La troisième partie du livre est triste.**

■ CORRIGÉ

① **Eu ganho 10 000 F. Tu ganhas o dobro.**
② **Ele pôs um terço do seu dinheiro no negócio.**
③ **A terceira parte do livro é triste.**

● Le suffixe **mente** sert à former l'adverbe de manière. Comme le français *-ment*, il s'ajoute à la forme *féminine* de l'adjectif (formation du féminin, B.12) :

adj. masculin	adjectif fém.	adverbe
lindo joli	**linda** jolie	**lindamente**
pobre pauvre	**pobre** pauvre	**pobremente**
fácil facile	**fácil** facile	**facilmente**

Attention → Les adverbes de manière ne portent pas d'accent écrit, même si l'adjectif en a un.

Attention → Lorsque deux adverbes se suivent, seul le deuxième porte le suffixe **mente** (le premier adjectif est aussi au féminin) :

O corredor corria, rápida e alegremente.

Le coureur courait rapidement et joyeusement.

Remarque → Certains adjectifs peuvent être employés avec la valeur d'un adverbe de manière :

Ele falava baixo.

Il parlait doucement (à voix basse).

■ CONTROLE

Former les adverbes de manière des adjectifs suivants :

① **triste**
② **veloz**
③ **amável**
④ **tranquilo**
⑤ **simples**

Traduire

① **Il mangeait avidement et goulûment.**
② **Il lisait lentement et difficilement.**

■ CORRIGÉ

① **tristemente**
② **velozmente** (rapidement)
③ **amavelmente** (aimablement)
④ **tranquilamente**
⑤ **simplesmente**

① **Ele comia ávida e gulosamente.**
② **Ele lia lenta e dificilmente.**

● Réponse par *oui* :

Oui se traduit rarement par **sim.** Pour répondre affirmativement on reprend le verbe qui a servi à poser la question à la personne qui convient et en respectant le temps employé dans la question. Il s'agit d'une réponse « écho » :

> **Fizeste as compras ? Fiz.**
> As-tu fait les courses ? Oui.
> **Foste ao cinema ? Fui.**
> Es-tu allé au cinéma ? Oui.
> **Ela está contente ? Está.**
> Est-elle contente ? Oui.

● Réponse par *non* :

On emploiera par contre **não** sans reprendre systématiquement le verbe à la forme négative.

> **Fizeste as compras ? Não.**
> **Estás contente ? Não (não estou).**

■ CONTROLE

Traduire

1. **Est-il parti ? Oui.**
2. **Es-tu parti ? Oui.**
3. **Ont-ils acheté les billets ? Oui.**
4. **Sont-ils déjà arrivés ? Non.**

■ CORRIGÉ

1. **Ele foi-se embora ? Foi.**
2. **Foste-te embora ? Fui.**
3. **Eles compraram os bilhetes ? Compraram.**
4. **Eles já chegaram ? Não.**

● La traduction de *encore* n'est pas uniforme :

→ **ainda** lorsque *encore* a le sens de *jusqu'à présent* :
  Ele ainda não veio. Il n'est pas encore venu.

→ **mais** lorsque *encore* représente une addition (sens : *de plus*) :
  Ele teve mais um acidente. Il a eu encore un accident.

→ **de novo, outra vez** lorsqu'il s'agit d'une répétition (sens de *à nouveau*) :
  Se ele vier outra vez, ponham-no na rua.
  S'il vient encore, mettez-le dehors.

→ **ainda que, se bem que** (plus le subjonctif) *encore que*.

● *Quelques tournures :*

→ **Ainda não** *pas encore*.
  Ele já veio ? Ainda não.
  Est-il déjà venu ? Pas encore.

→ **Não só... mas também** *Non seulement... mais encore.*

■ CONTROLE

Traduire

① Je me fâche s'il me demande encore de l'argent.
② J'aime la soupe. J'en veux encore.
③ Je n'ai pas encore vu le spectacle.
④ Avez-vous déjà visité Lisbonne ? Non, pas encore.

■ CORRIGÉ

① Zango-me, se ele me vier pedir outra vez dinheiro.
② Gosto da sopa. Quero mais.
③ Ainda não vi o espectáculo.
④ Já visitaram Lisboa ? Ainda não.

- *Arriver* a trois traductions possibles :

→ **chegar** *arriver* (sens propre, contraire de partir) :
> **Ele chegou às 8 horas.**
> Il est arrivé à huit heures.

→ **conseguir** *arriver à (être capable de,* sens de *parvenir)* :
> **Ele conseguiu ter bons resultados.**
> Il est arrivé à avoir des bons résultats.

→ **suceder, acontecer** employés souvent de façon impersonnelle, indiquent *un événement qui se produit :*
> **Isso aconteceu (sucedeu) há muito tempo.**
> Cela est arrivé, il y a longtemps.

- *Expression idiomatique :*
> **Acontece cada uma.**
> Il arrive de ces choses. Ou : il en arrive des choses.

■ CONTROLE

Traduire
1. **Ils sont arrivés très tard.**
2. **Il n'arrive pas à comprendre ce problème.**
3. **Ces histoires arrivent parfois.**

■ CORRIGÉ

1. **Eles chegaram muito tarde.**
2. **Ele não consegue compreender este problema.**
3. **Estas histórias por vezes acontecem.**

● **Apetecer** *avoir envie de* et **doer** *avoir mal* sont des verbes défectifs qui ne s'emploient qu'à la 3e personne du singulier ou du pluriel.

Attention à leur construction :

→ le sujet français est rappelé par un pronom complément qui se place dans la phrase conformément à la règle générale (B.2) ;

→ le complément français devient le sujet réel du verbe qui s'accorde en nombre avec ce sujet.

> **Apetece-te sair.**
> Tu as envie de sortir.

> **Apetece-me um copo de água.**
> J'ai envie d'un verre d'eau.

> **Não lhe apetecem bolos.**
> Il n'a pas envie de gâteaux.

> **Dói-me a cabeça.**
> J'ai mal à la tête

> **Doíam-te as pernas.**
> Tu avais mal aux jambes.

> **Não nos doíam os braços.**
> Nous n'avions pas mal aux bras.

■ CONTROLE

Traduire

① **J'avais envie de partir.**
① **Nous avons envie d'un bon repas.**
③ **Ils ont mal à l'estomac.**
④ **Il avait mal aux dents.**

■ CORRIGÉ

① **Apetecia-me partir.**
② **Apetece-nos uma boa refeição.**
③ **Dói-lhes o estômago.**
④ **Doíam-lhe os dentes.**

● *Demander* a deux traductions possibles :

→ **Perguntar** *quand on attend une réponse :*

> **Pergunto-lhe as horas.** Je lui demande l'heure.
> **Não lhe pergunto se vem.** Je ne lui demande pas s'il vient.

→ **Pedir** lorsqu'*on attend un résultat concret, un acte ou un objet* (un renseignement, de l'argent, etc.) :

> **Peço-lhe uma informação.**
> Je lui demande un renseignement.
> **Ele pediu-me dinheiro.** Il ma demandé de l'argent.

N.B. : ces deux verbes ont deux compléments :

→ *l'un direct* (l'objet) : **o, os, a, as.**

→ *l'autre indirect* (la personne) : **me, te, lhe, nos, vos, lhes.**
Les deux pronoms peuvent se contracter (B.4)

> **(o livro) Peço-lho.** Je le lui demande.

Ne pas oublier la place des pronoms (B.2).

● *Demander de :* **pedir que** + subjonctif :

> **Não lhe peço que venha comigo.**
> Je ne lui demande pas de venir avec moi.
> **Ele pediu-me que trouxesse o disco.**
> Il m'a demandé d'apporter le disque.

■ CONTROLE

Traduire
1. **Demande-lui s'il y a un train à huit heures.**
2. **Il me demande de venir tôt.**
3. **Mon passeport, il ne me le demande pas.**

■ CORRIGÉ

1. **Pergunta-lhe se há um comboio às oito horas.**
2. **Ele pede-me que venha cedo.**
3. **O meu passaporte, ele não mo pede.**

La traduction de *faire* est une source d'erreurs fréquentes, car ce verbe a plusieurs traductions en portugais.

- **fazer** (emploi moins courant qu'en français) indique seulement une action ou une production :
  Ele faz o exercício. Il fait l'exercice.

- *Un verbe précis :*
  Ele corta ou **arranja as unhas.** Elle fait ses ongles.

- **dar** *donner*, dans de nombreuses expressions :

dar um erro	faire une faute
dar uma resposta	faire (donner) une réponse.
dar um passo	faire un pas.
dar um passeio	faire une promenade.
dar uma volta	faire un tour.
dar pena	faire de la peine.
dar corda ao relógio	remonter la montre.
dar conhecimento-dar parte	faire part.
(mais **fazer parte de**	faire partie de).

- **É** = *il fait* + une expression de temps :
  É dia. Il fait jour. **É noite.** Il fait nuit.

- **Está** (avec des intempéries) ;
  Está calor (frio, vento). Il fait chaud (froid, du vent).

- *Expressions idiomatiques :*
  Faire l'âne, **fazer-se parvo/fazer-se tolo.**
  Qu'est-ce que cela vous fait ? **Que tem com isso ?**
  Ne faire que de... **acabar de (acabo de chegar :** *Je ne fais que d'arriver).*

■ CONTROLE

Traduire

1. **J'ai fait beaucoup de fautes.**
2. **Je n'ai pas remonté la montre.**
3. **Il m'a fait une réponse stupide.**
4. **Elle fait partie d'un orchestre.**
5. **Il fait nuit et il fait froid.**

■ CORRIGÉ

1. **Dei muitos erros.**
2. **Não dei corda ao relógio.**
3. **Deu-me uma resposta estúpida.**
4. **Ela faz parte duma orquestra.**
5. **É noite e está frio.**

Le premier *faire* a deux traductions possibles suivant le sens qu'il a : **mandar** ordonner, **fazer** faire.

● **Mandar** + *infinitif*, lorsque le premier *faire* indique un ordre :

> **Ele mandou construir uma casa.** Il fait faire une maison.

● **Fazer** + *infinitif*, lorsque le premier *ne contient pas d'idée d'ordre* :

> **Isso fez-me pensar nela.** Cela m'a fait penser à elle.

● *Expression idiomatique :*

> Faire savoir. **Dar a saber, participar.**

■ CONTROLE

Traduire
① **Il m'a fait comprendre les difficultés du texte.**
② **Il a fait venir son ami.**
③ **Il m'a fait savoir qu'il ne pouvait pas venir.**

■ CORRIGÉ

① **Ele fez-me compreender as dificuldades do texto.**
② **Ele mandou vir o amigo.**
③ **Participou-me que não podia vir.**

- **Ir** indique le *déplacement* d'un lieu vers un autre. Il est normalement suivi de la préposition **a** ou **para** (ou **por** pour indiquer le lieu par où l'on passe) :

    Vou a Paris. Je vais à Paris (de façon provisoire).
    Vou para Paris. Je vais à Paris (pour y rester).
    Vou por Paris. Je passe par Paris.

- **Ir** + *infinitif* indique un futur immédiat :
    Vamos trabalhar. Nous allons travailler.

- **Ir** + *de* indique le *moyen de transport* :
    Vou de avião. Je vais en avion.
    Vou de barco. Je vais en bateau.

Attention aux expressions :

    Ir a pé.
    Aller à pied.
    Ir de pé/em pé.
    Aller debout ; être debout.

- **Ir** + *gérondif* : *forme progressive* (rappel, voir B.41).
    Portugal : **Vou a correr.** Je m'en vais en courant
    Brésil : **Vou correndo.**
    Portugal/Brésil : **Vou comendo enquanto ela se prepara.**
    Je mange pendant qu'elle se prépare (c'est-à-dire : je commence à manger, pendant que…).

→ **N.B. :** il s'agit moins dans ce dernier exemple d'une forme progressive que du démarrage d'une action qui se passe en même temps qu'une autre.

■ CONTROLE

Traduire
1. Je suis debout dans l'autobus.
2. Je vais à Paris en autobus.
3. Il commence à travailler pendant que je lis.

■ CORRIGÉ

1. **Vou de pé(em pé)no autocarro.**
2. **Vou a Paris de autocarro.**
3. **Ele vai trabalhando enquanto eu leio.**

● **Vir** *venir* quand il y a un déplacement d'un endroit vers un autre :

>**Venho de Lisboa.** Je viens de Lisbonne.

● **Vir** + *gérondif, forme progressive,* avec un déplacement dans un lieu, avec une idée de rapprochement (rappel B.41) :

>**Ele vem a cantar/ele vem cantando.**
>Il chante (il vient en chantant).

● **Acabar de,** *venir de,* indique un passé immédiat :

>**Ele acaba de chegar.** Il vient d'arriver.

● *Quelques expressions idiomatiques :*

→   Il me vient une idée. **Ocorre-me uma ideia.**
→   Venir à. **Chegar a.**
→   Cela vient à manquer. **Isso chega a faltar.**
→   Venir à bout. **Conseguir.**
→   Il vient à bout de ce travail. **Ele consegue acabar o trabalho.**
→   Voir venir quelqu'un. **Adivinhar as intenções de alguém.**

■ CONTROLE

Traduire

① **Cela est venu à mes oreilles.**
② **Il m'a vu venir de la fenêtre.**
③ **Il me connaît bien ; il m'a vu venir.**
④ **Il en vint à parler de son voyage.**
⑤ **Le train vient de partir.**

■ CORRIGÉ

① **Isso chegou aos meus ouvidos.**
② **Da janela, ele viu-me chegar.**
③ **Conhece-me bem ; adivinhou as minhas intenções.**
④ **Ele chegou a falar da viagem.**
⑤ **O comboio acaba de partir.**

Ce verbe a plusieurs traductions possibles.

- **Brincar** *(jeux d'enfants)* :
  A menina brinca com a boneca.
  La fille joue à la poupée.

- **Jogar** (lorsque le jeu suit des règles précises) :
  Jogar futebol. Jouer au football.

→ **N.B. :** au *Brésil* **jogar** est employé couramment avec le sens de *jeter*.

- **Tocar** *(jouer d'un instrument de musique)* :
  Tocar violino. Jouer du violon.
  Tocar piano. Jouer du piano.

→ **Tocar** *toucher*, peut traduire aussi *sonner* :
  Ele tocou à campainha. Il a sonné.

- *Expressions* :
  Desempenhar um papel. Jouer un rôle.
  Fazer de importante. Jouer l'important (faire le...).

■ CONTRÔLE

Traduire

1. Les fillettes jouaient ensemble ; elles jouaient à la dame.
2. Les garçons jouaient au football.
3. Les hommes jouaient du violon et une femme jouait du piano.
4. L'orchestre joue.

■ CORRIGÉ

1. **As meninas brincavam juntas, elas faziam de senhoras (brincavam às senhoras).**
2. **Os rapazes jogavam futebol.**
3. **Os homens tocavam violino e uma mulher tocava piano.**
4. **A orquestra toca (está a tocar).**

● On emploie *l'ordinal*, placé après le nom, avec les noms de *souverains*, de *papes*, de *siècles*, le *numérotage* des parties d'une œuvre (tome, chapitre, acte) jusqu'à *10* :

> **Pedro II (segundo).**
> Pedro II.
> **Canto V (quinto).**
> Chant V.
> **Afonso IV (quarto).**
> Alphonse IV.

● Après *10,* on emploie *le cardinal* placé après le nom, ainsi que pour les siècles :

> **Luis XIV (catorze).**
> Louis XIV.
> **Século XX (vinte).**
> Vingtième siècle.
> **Capítulo XI (onze).**
> Chapitre onze.

■ CONTRÔLE

Traduire

① **Charles X fut un roi de France.**
② **Il est né au début du xx· siècle.**
③ **J'ai lu le chapitre II de ce livre.**

■ CORRIGÉ

① **Carlos décimo foi um rei de França.**
② **Ele nasceu no princípio do século vinte.**
③ **Li o segundo capítulo deste livro.**

- A la question : **Que horas são ?** *Quelle heure est-il ?*
  on répond en employant le verbe *être* au singulier, suivant
  qu'il s'agit d'une heure, midi ou minuit :

  > **É uma hora.** Il est une heure.
  > **É meio-dia.** Il est midi.
  > **É meia-noite.** Il est minuit.

- Dans les autres cas on emploie le verbe au pluriel :

  > **São duas horas.** Il est deux heures.
  > **São dez horas.** Il est dix heures.

→ Dans la langue parlée on peut ne pas répéter le mot **horas :**

  > **São dez.** Il est dix heures.

- **E** *(et)* est employé entre l'heure et le chiffre qui représente
  les minutes, ou les mots **meia** *demie* et **quarto** *quart,* entre
  l'heure juste **hora em ponto** et la *demie* qui suit :

  > **São dez e dez.**   Il est dix heures dix.
  > **São nove e um quarto.** Il est neuf heures un quart.
  > **São nove e meia.**   Il est neuf heures et demie.

- Entre *la demi-heure* et *l'heure suivante* il y a deux possibilités :

  → **É** ou **são** + l'heure indiquée + **menos** + les minutes :
  > **São três menos dez.** Il est trois heures moins dix.

  → **Falta** ou **Faltam** *(manque(nt))* + minutes + **para** +
  l'heure suivante.

  > Il est trois heures moins dix.
  > **Faltam dez para as três** ou **São três menos dez.**
  > Il est dix heures moins le quart.
  > **Falta um quarto para as dez = são dez menos um
  > quarto.**

- Attention
→ au *genre* des mots *seconde* et *minute* :
  > **O minuto** (masc.) = *la minute* (fém.)
  > **O segundo** (masc.) = *la seconde* (fém.)

→ à la *construction* de **atrasar** *retarder de* et de **adiantar** *avancer de* (B.34) :

> **O meu relógio adianta (atrasa) dez minutos.**
> Ma montre avance (retarde) de dix minutes.
> **O Pedro está adiantado (atrasado) um quarto de hora.**
> Pierre est en avance (en retard) d'un quart d'heure.

■ CONTROLE

Traduire en employant des tournures différentes lorsque c'est possible.
1. Il est trois heures moins le quart.
2. Il est quatre heures moins vingt-cinq.
3. Marie et Jeanne sont en retard de dix minutes.

■ CORRIGÉ

1. Falta um quarto para as três.
   São três menos um quarto.
   São duas (horas) e quarenta e cinco (minutos)
2. São quatro menos vinte e cinco.
   Faltam vinte e cinco para as quatro.
   São três e trinta e cinco.
3. A Maria e a Joana estão atrasadas dez minutos.

Dans un mot portugais, l'une des syllabes est toujours *plus fortement accentuée* que les autres.

Elle est appelée *syllabe tonique*, les autres étant des *syllabes atones...*

La *syllabe tonique* porte *l'accent tonique* ; cet accent tonique n'est normalement pas écrit.

La syllabe tonique (ou l'accent tonique) se détermine suivant des règles précises. Il est important de savoir la localiser car *la prononciation des voyelles change suivant que celles-ci se trouvent dans la syllabe tonique ou dans une syllabe atone.*

● Sont accentués sur *l'avant-dernière syllabe*, les mots terminés par les voyelles atones **a, e, o** (suivies ou non de **m** et **s**) :

casa maison	**canta** il chante.
casas maisons	**cantam** ils chantent **nuvem** nuage
pobre pauvre	**livro** livre
pobres pauvres	**livros** livres

● Sont accentués sur *la dernière syllabe*, les mots terminés :

→ par les voyelles **i** et **u** (suivie ou non de **s, m**) :
javali sanglier, **jardim** jardin, **Paris** Paris, **peru** dindon, **perus** dindons, **jejum** jeûne

→ par une diphtongue nasale (**ão, ãe, õe**) ou une diphtongue orale (**ai, au, ei**), suivie ou non de **s, m** :

balão ballon, **balões** ballons, **mamãe** maman, **mamães** mamans **cantei** je chantai, **cantou** il chanta, **comeu** il mangea

→ par une consonne autre que **m** ou **s** (sauf si ces consonnes sont précédées des voyelles **i** ou **u**) :
papel papier   **mulher** femme

■ CONTROLE

Souligner la syllabe tonique

1. botão
2. semana
3. mandarim
4. homem
5. como
6. trabalhador
7. javalis
8. mamãe
9. começar
10. cantai
11. partir

12. caracol
13. trabalhou
14. repartições
15. camaradas
16. vendestes
17. cheguei
18. canguru
19. adivinharam
20. hesitei
21. andante
22. bebeu

■ CORRIGÉ

1. bo<u>tão</u>
2. se<u>ma</u>na
3. manda<u>rim</u>
4. <u>ho</u>mem
5. <u>co</u>mo
6. trabalha<u>dor</u>
7. ja<u>va</u>lis
8. ma<u>mãe</u>
9. come<u>çar</u>
10. can<u>tai</u>
11. par<u>tir</u>

12. cara<u>col</u>
13. traba<u>lhou</u>
14. reparti<u>ções</u>
15. cama<u>ra</u>das
16. ven<u>des</u>tes
17. che<u>guei</u>
18. cangu<u>ru</u>
19. adivinha<u>ram</u>
20. hesi<u>tei</u>
21. an<u>dan</u>te
22. be<u>beu</u>

● Les *accents écrits* (*aigus* ou *circonflexes*) signalent une syllabe tonique irrégulière, c'est-à-dire une syllabe dont l'accentuation tonique n'est pas conforme aux règles précédemment définies (B-99).
De plus ces accents écrits ont une action d'ouverture ou de fermeture de la voyelle de la syllabe tonique.

→ l'*accent aigu ouvre* la voyelle de **la syllabe tonique irrégulière** (contrairement à l'accent aigu français qui ferme la voyelle : ex. *été*) ;
café (prononcé, *kafè*), **avó** (*o* de *note*), **Sábado, útil também, agradável, açúcar.**

→ l'*accent circonflexe ferme* la voyelle de *la syllabe tonique irrégulière* (contrairement à l'accent circonflexe français qui ouvre généralement la voyelle *e* : *fenêtre*) :
português (**ê** correspond au *é* de *été*), **avô** (*o* de *pot*) **trânsito.**

● **Remarques**

→ l'accent écrit sur la deuxième voyelle d'une diphtongue déplace l'accent tonique sur cette voyelle et les deux voyelles se prononcent séparément.
sai (prononcé *saille*) **saí** (prononcé *sa/i*)
construis (prononcé, *ouich*) **construís** (prononcé *ou/ich*)

→ prononciation de **io, ia,** en position finale :
● Ces deux voyelles se prononcent séparément ; le **i** porte l'accent tonique : **Rossi/o Mari/a.**

● Elles se prononcent en diphtongue, si la syllabe précédente porte un accent écrit, c'est-à-dire, si l'accent tonique est déplacé : **António, infância, família.**

N.B.
● L'accent est toujours aigu sur **i** ou **u** + **n** ou **m** + consonne **ímpeto, anúncio.**

● L'accent est toujours circonflexe sur **a, o, e,** + **n** ou **m** + consonne : **infância, cônsul, excêntrico.**

● Certains adjectifs, portant un accent écrit sur la dernière syllabe, perdent cet accent écrit au féminin ou au pluriel : **português,** fém. **portuguesa,** pl. **portugueses.**

● *Les accents écrits différencient les mots de formes sembla-
bles,* mais dont le sens et la phonétique varient.
é (prononcé è) = *est,* **e** (prononcé i) = *et.*
está *est,* **esta** *cette*
para *pour,* **pára** *il arrête* ; **por** *par,* **pôr** *mettre*
ma (me + a = *me la*), **má** *mauvaise.*

→ Du verbe **sair** *sortir.* **saia** *(prés. subj.),* **saía** *(imparf. ind.),*
a saia *la jupe.*

● L'<u>accent grave</u> n'est employé aujourd'hui que pour signaler
la <u>contraction</u> de **a** (préposition) + **a** (article défini) et
de **a (préposition) + aquele** (démonstratif) ;

> **a** (à) + **a** (la) = **à** (à la)
> **a** (à) + **as** (les) = **às** (aux)
> **a** (à) + **aquele**(s) (celui-là) = **àquele**(s)
> **a** (à) + **aquela**(s) (celle-là) = **àquela**(s)
> **a** (à) + **aquilo** (cela) = **àquilo**

■ CONTROLE

**A. Mettre les adjectifs suivants au pluriel, puis au féminin et
souligner, dans chaque cas, la syllabe tonique :**
① francês   ② inglês   ③ bonito   ④ alemão

B. Traduire
⑤ **Cette femme est contente.**
⑥ **La maison est grande et belle.**

■ CORRIGÉ

A. pluriel :
① franc<u>e</u>ses.
② ingl<u>e</u>ses.
③ bon<u>i</u>tos.
④ alem<u>ã</u>es

féminin :
① franc<u>e</u>sa.
② ingl<u>e</u>sa.
③ bon<u>i</u>ta.
④ alem<u>ã</u>

B.
⑤ **Esta mulher está contente.**
⑥ **A casa é alta e bonita.**

Contrôle
100 questions

- Contrôlez vos progrès en effectuant ce nouveau test.

- Établissez votre nouveau score en vous reportant au corrigé p. 225.

- Si vous faites à nouveau des erreurs, reportez-vous à la section **B**, p. 55.

① .... **um passo na direcção dele.**

  a fiz
  b fez
  c dei
  d faço

② **Está** .... **casa, não foi** .... **médico.**

  a na ...... ao
  b em ...... em casa do
  c a ...... ao
  d em ...... ao

③ **Como se chama o amigo** .... **está contigo e**
  com .... **tu estás a falar ?**

  a que ...... quem
  b quem ...... que
  c que ...... que
  d quem ...... quem

④ .... **, fomo-nos deitar.**

  a As luzes apagadas
  b As luzes estando apagadas
  c Apagando as luzes
  d Apagadas as luzes

⑤ **Ele diz que não** .... **contente, quer que**
  eu .... **.**

  a esteja ...... estude
  b está ...... estude
  c está ...... estudo
  d esteja ...... estuda

⑥ **Estas estradas são mais estreitas e .... as outras.**

- a pioras
- b piores que
- c pior
- d piores do que

⑦ **Nasceu no ano .... acabou a guerra.**

- a onde
- b no qual
- c em que
- d em quem

⑧ **As lojas são .... animadas.**

- a muitas
- b muita
- c muito
- d muitos

⑨ **Não .... passear.**

- a apetece-nos
- b nos apetece
- c nos apetecem
- d nós apetece

⑩ **Ele trabalha .... dia.**

- a tudo o
- b todo
- c tudo
- d todo o

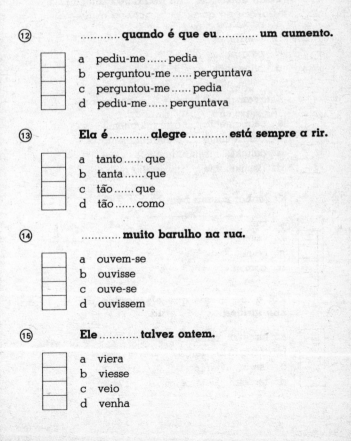

⑪ *Cocher la phrase où les syllabes toniques sont correctement soulignées :*

a Ontem fomos ao cinema com o Joaquim.
b Ontem fomos ao cinema com o Joaquim.
c Ontem fomos ao cinema com o Joaquim.
d Ontem fomos ao cinema com o Joaquim.

⑫ .... **quando é que eu** .... **um aumento.**

a pediu-me ...... pedia
b perguntou-me ...... perguntava
c perguntou-me ...... pedia
d pediu-me ...... perguntava

⑬ **Ela é** .... **alegre** .... **está sempre a rir.**

a tanto ...... que
b tanta ...... que
c tão ...... que
d tão ...... como

⑭ .... **muito barulho na rua.**

a ouvem-se
b ouvisse
c ouve-se
d ouvissem

⑮ **Ele** .... **talvez ontem.**

a viera
b viesse
c veio
d venha

⑯ **O gravador custa**............ .

  a oitentas e nove mil setecentos e cinquenta escudos
  b oitenta e noves mil setecentos e cinquenta escudos
  c oitenta e nove mil e setecentos e cinquenta escudos
  d oitenta e nove mil setecentos e cinquenta escudos

⑰ **Comi dois**............ **ao pequeno almoço.**

  a pãoinhos
  b pãozinhos
  c pãezinhos
  d pãesinhos

⑱ **Estávamos**............ **e** .... **sentados.**

  a calmomente ...... tranquilamente
  b calmamente ...... tranquilomente
  c calma ...... tranquilamente
  d calmamente ...... tranquilo

⑲ **O senhor comeu bem ?**............

  a sim
  b como
  c comi
  d comeu

⑳ **Foi a**............ **vez que ele perdeu um** .... **da sua fortuna.**

  a terça ...... terceiro
  b terceira ...... terço
  c terça ...... terço
  d terceira ...... terceiro

(21)   **Penso .... quando te vejo.**

  a nisso
  b a isso
  c em isso
  d com isso

(22)   **Gostava que me dissesses .... são os teus projectos.**

  a os quais
  b quales
  c quais
  d qual

(23)   **........... que .... dinheiro.**

  a peço-lhe ...... empreste-me
  b peço-lhe ...... me empreste
  c lhe peço ...... me empreste
  d lhe peço ...... empreste-me

(24)   **Ele .... mostrar o passaporte.**

  a acabou
  b chegou a
  c ocorreu
  d chegou

(25)   **Ele está .... cansado .... eu.**

  a tão ...... que
  b tão ...... como
  c tanto ...... como
  d tanto ...... que

㉖ .... não o ter visto, não pude combinar com
ele .... ir à praia.

a para ...... para
b pelo ...... para
c por ...... por
d por ...... para

㉗ Ele empresta ...... dinheiro.

a a eles
b lhes
c a lhes
d lhes empresta

㉘ .... poeta está .... estação.

a a ...... na
b o ...... na
c a ...... no
d o ...... no

㉙ Diz .... ! Tens .... o livro que te emprestei ?

a cá ...... cá
b lá ...... lá
c lá ...... cá
d la ...... ca

㉚ Não era uma mulher, era ....

a uma mulherão
b um mulherzarão
c um mulherão
d um mulherzão

(31)   **Foi o exercício mais fácil que eu ....**

a   fizesse
b   tenha feito
c   fiz
d   fez

(32)   **Ele vem ao cinema ....**

a   com eu
b   com mim
c   conmigo
d   comigo

(33)   **O carro saiu .... garagem e foi contra**
       .... árvore.

a   do ...... a
b   do ...... o
c   da ...... a
d   da ...... o

(34)   **É melhor .... as malas hoje para ....**

a   façamos ...... partirmos
b   fazermos ...... partirmos
c   fizermos ...... partirmos
d   de fazermos ...... partirmos

(35)   **A refeição já .... feita ; .... preparada**
       por mim.

a   está ...... esteve
b   está ...... foi
c   é ...... foi
d   é ...... é

㊱ **Ele disse que vinha quando .... menos gente.**

- a houver
- b havia
- c houvesse
- d há

㊲ **Ele .... a sua viagem e .... belos poemas.**

- a contará ...... dissera
- b contara ...... dizera
- c contara ...... dissera
- d tinha contado - tinha dito

㊳ **............ enquanto tu esperas pelo João.**

- a vou a andar
- b estou a andar
- c vou andando
- d venho a andar

㊴ **Não vamos .... avião, vamos antes .... de amanhã.**

- a neste ...... em este
- b em este ...... em o
- c neste ...... naquele
- d neste ...... no

㊵ **Por mais fome que .... , ele não comia.**

- a tenha
- b tinha
- c tivesse
- d tem

(41)   **Estás à espera do Pedro ?** ....

     a   eis
     b   eis-o
     c   eis-lo
     d   ei-lo

(42)   **Ela vai** .... **sempre que faz uma viagem** .... **comboio.**

     a   vai lendo ...... de
     b   vai a ler ...... de
     c   vai a ler ...... por
     d   vai a ler ...... em

Cochez la phrase où les accents écrits sont correctement indiqués.

(43)   **A avo da Maria e inglesa :**

     a   A avó da Maria é inglêsa
     b   A avó da Maria é inglesa
     c   A avô da Maria e inglesa
     d   A avô da Maria é inglêsa

(44)   **O rei Afonso V viveu no século XV.**

     a   cinco ...... décimo quinto
     b   quinto ...... quinze
     c   cinco ...... quinze
     d   quinto ...... décimo quinto

(45)   **O autocarro passa** .... **nossa rua e pára** .... **minha casa.**

     a   por a ...... perto de
     b   em ...... perto
     c   pela ...... perto da
     d   por ...... perto

(46) .... **muitos carros que não** .... **onde esta-cionar.**

a há ...... têm
b tem ...... têm
c há ...... tem
d hão ...... têm

(47) .... **amigo, este livro é** .... **, não é do João.**

a o meu ...... o seu
b meu ...... o seu
c meu ...... seu
d o meu ...... seu

(48) .... **dez horas e o avião já** .... **na pista.**

a é ...... está
b são ...... está
c são ...... é
d estão ...... está

(49) **É necessário que tu** .... **connosco à Madeira.**

a venhas
b vires
c vir
d vens

(50) **Viajei no carro** .... **e não no** .... **.**

a seu ...... seu
b dele ...... seu
c dele ...... sua
d de ele ...... seu

(51) **Onde .... puseste o meu cachimbo ?**

- a   foi que
- b   foste que
- c   é que
- d   és que

(52) **Peço .... o seu passaporte ; dou ....**
amanhã.

- a   o ...... lhe
- b   lhe ...... lhe
- c   lhe ...... lho
- d   lhe ...... o

(53) **Vocês .... hoje à noite ou .... em casa ?**

- a   saiam ...... fiquem
- b   saís ...... ficais
- c   saiem ...... fiquem
- d   saem ...... ficam

(54) **O turista que está na loja .... francês e**
não .... contente.

- a   é ...... é
- b   é ...... está
- c   está ...... está
- d   está ...... é

(55) **Já são dez horas e as camas estão .... fazer.**

- a   a
- b   em
- c   por
- d   de

(56) **Na próxima semana .... a Lisboa e .... o avião.**

- a vou ...... tomo
- b vou ...... tomei
- c ia ...... tomo
- d vou ...... tomaria

(57) **Espero que eles .... em casa.**

- a estão.
- b estar
- c estejam
- d estarão

(58) **Se tu não .... o caminho, pergunta.**

- a saberes
- b soubesses
- c soubesres
- d saibas

(59) **O avião .... aterrar.**

- a ...... vem
- b ...... acaba
- c ...... vem de
- d ...... acaba de

(60) **Esta história, ... muitas vezes ultimamente.**

- a tenho-a ouvido
- b tenho ouvido
- c a tenho ouvido
- d tenho ouvido-a

⑥¹ **Ele disse que tu .... amanhã.**

   a vieste
   b vinhas
   c venhas
   d virias

⑥² **Esta caneta é .... que tu me deste.**

   a o
   b esta
   c a
   d aquela

⑥³ **O barco vai rio .... e passa .... baixo da ponte.**

   a cima ...... por
   b acima ...... por
   c a cima ...... a
   d acima ...... em

⑥⁴ **A gata estava .... ; tinha .... na véspera.**

   a morrido ...... morrido
   b morta ...... morta
   c morta ...... morrida
   d morta ...... morrido

⑥⁵ **Os .... desta casa são maus como ....**

   a cãos ...... leãos
   b caes ...... leães
   c caoes ...... leões
   d cães ...... leões

⑥⑥ **Vestiu o sobretudo como se............ sair.**

a quisesse
b queria
c quer
d quereria

⑥⑦ **Ele............ no escritório que............ no terceiro andar.**

a é......é
b fica......é
c é......está
d está......fica

⑥⑧ **Ela foi ao mercado e............ o que............ .**

a trouxe......pude
b trouxe......pôde
c trouxe......podes
d trago......pôde

⑥⑨ **Elas estão............ cinco minutos.**

a adiantadas de
b adiantados
c adiantadas
d adiantadas em

⑦⓪ **............ a janela, ele ouviu barulho.**

a ao abrir
b abrir
c a abrir
d abrindo

(71) **As .... são ....**

- a viagems ...... agradáveis
- b viagens ...... agradáveis
- c viagens ...... agradáveles
- d viagens ...... agradávels

(72) **............ carro passa .... ponte.**

- a a ...... no
- b o ...... na
- c a ...... na
- d o ...... em a

(73) **Nas últimas férias, eu .... todos os dias à praia.**

- a vou
- b fui
- c ia
- d iria

(74) **Ele .... lembrar o meu irmão.**

- a mandou-me
- b fiz-me
- c deu-me
- d fez-me

(75) **............ (você) o café, mas não o .... frio.**

- a serve ...... traz
- b serva ...... traz
- c serve ...... tragas
- d servi ...... trazei

(76) **Eles gostam da casa, compram** ....

- a -a
- b -la
- c -na
- d -no

(77) **Ele nem** .... **comeu.**

- a mesmo
- b até
- c próprio
- d sequer

(78) **Não via** .... **lugar aí ao pé de ti? Só via** .... **lá ao fundo.**

- a este ...... esse
- b esse ...... aquele
- c aquele ...... este
- d esse ...... esse

(79) **Ele gostava** .... **estudar e interessava-se** .... **matemática.**

- a de ...... pela
- b - ...... pela
- c de ...... à
- d de ...... em

(80) **Não digo** .... **razão fico aqui.**

- a porque
- b por que
- c porquê
- d que

(81)   **Ontem eu .... tanto que .... cansado.**

  a tenho andado .... fiquei
  b andou .... ficou
  c andei .... fiquei
  d andei .... ficei

(82)   **O actor .... um papel e .... viola.**

  a toca .... toca
  b joga .... joga
  c joga .... toca
  d desempenha .... toca

(83)   **Era útil marcar os lugares ; .... tu que costu-**
            mavas fazê-lo.

  a foste
  b era
  c eras
  d foi

(84)   **O João .... à Maria.**

  a está telefonando
  b estás para telefonar
  c está a telefonar
  d telefonar

(85)   **Se eu .... , ...**

  a sabia, dir-to-ia
  b soubesse, dir-to-ia
  c soubesse, diria-to
  d soubesse, dizer-to-ia

⑧⑥　　　　**Estes atlas .... são .... e úteis.**

a　ingleses .... simples
b　inglêses .... simples
c　ingleses .... simpleses
d　ingles .... simples

⑧⑦　　　　**Ela deu .... opinião .... amigas.**

a　a seu .... minhas
b　a sua .... minhas
c　a sua .... as minhas
d　a sua .... às minhas

⑧⑧　　　　**Tu .... a esse encontro hoje.**

a　tenho de ir
b　tens ir
c　tens de ir
d　tem de ir

⑧⑨　　　　**O bolo, ... amanhã.**

a　comê-lo-ás
b　comerás-o
c　comer-lo-ás
d　come-lo-ás

⑨⓪　　　　**............ colega .... polícia é um homem simpático.**

a　a .... do
b　o .... da
c　o .... do
d　a .... da

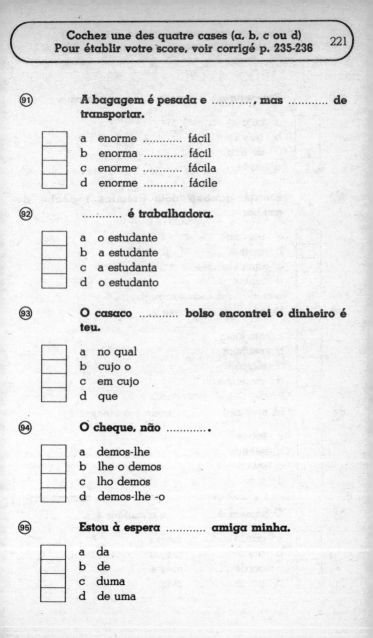

(91) A bagagem é pesada e ...., mas .... de transportar.

- a enorme .... fácil
- b enorma .... fácil
- c enorme .... fácila
- d enorme .... fácile

(92) .... é trabalhadora.

- a o estudante
- b a estudante
- c a estudanta
- d o estudanto

(93) O casaco .... bolso encontrei o dinheiro é teu.

- a no qual
- b cujo o
- c em cujo
- d que

(94) O cheque, não ....

- a demos-lhe
- b lhe o demos
- c lho demos
- d demos-lhe -o

(95) Estou à espera .... amiga minha.

- a da
- b de
- c duma
- d de uma

96 **Empresta-me o livro .... me falaste.**

- a cujo
- b que
- c de que
- d onde

97 **Ele já ganhou dois prémios ; acaba de ganhar ....**

- a um mais
- b mais
- c uma vez mais
- d mais um

98 **Está .... em casa ?**

- a ninguém
- b nenhum
- c alguém
- d nenhuma

99 **(A menina) .... onde é o cinema ?**

- a sabes
- b sabeis
- c sei
- d sabe

100 **O homem é .... e a mulher é ....**

- a gordo .... magro
- b gordo .... magra
- c gorda .... magra
- d gorda .... magro

Corrigé
du test C

① c. **Dei um passo na direcção dele.**
J'ai fait un pas dans sa direction.
→ B. 92

② d. **Está em casa, não foi ao médico.**
Il est à la maison, il n'est pas allé chez le médecin.
→ B. 28

③ a. **Como se chama o amigo que está contigo e com quem tu estás a falar ?**
Comment s'appelle l'ami qui est avec toi et avec qui tu es en train de parler ?.
→ B. 68

④ d. **Apagadas as luzes, fomo-nos deitar.**
Les lumières éteintes, nous sommes allés nous coucher.
→ B. 55

⑤ b. **Ele diz que não está contente, quer que eu estude.**
Il dit qu'il n'est pas content ; il veut que j'étudie.
→ B. 58

⑥ d. **Estas estradas são mais estreitas e piores do que as outras.**
Ces routes sont plus étroites et pires que les autres.
→ B. 76

⑦ c. **Nasceu no ano em que acabou a guerra.**
Il est né l'année où la guerre a fini.
→ B. 72

⑧ c. **As lojas são muito animadas.**
Les magasins sont très animés.
→ B. 81

⑨ b. **Não nos apetece passear.**
Nous n'avons pas envie de nous promener.
→ B. 90

⑩ d. **Ele trabalha todo o dia.**
Il travaille toute la journée.
→ B. 74

⑪ c. <u>Ontem fomos ao cinema com o Joaquim.</u>
Hier nous sommes allés au cinéma avec Joaquim.
→ B. 99

⑫ c. **Pediu-me quando é que pedia um aumento.**
Il m'a demandé quand est-ce que je demandais une augmentation.
→ B. 91

⑬ c. **Ela é tão alegre que está sempre a rir.**
Elle est si joyeuse qu'elle rit tout le temps.
→ B. 83

⑭ c. **Ouve-se muito barulho na rua.**
On entend beaucoup de bruit dans la rue.
→ B. 67

⑮ c. **Ele veio talvez ontem.**
Il est peut-être venu hier.
→ B. 66

⑯ d. **O gravador custa oitenta e nove mil setecentos e cinquenta escudos.**
Le magnétophone coûte quatre-vingt mille sept cent cinquante escudos.
→ B. 84

⑰ c. **Comi dois pãezinhos ao pequeno almoço.**
J'ai mangé deux petits pains au petit déjeuner.
→ B. 79

⑱ c. **Estávamos calma e tranquilamente sentados.**
Nous étions calmement et tranquillement assis.
→ B. 86

⑲ c. **O senhor comeu bem ? Comi.**
Vous avez bien mangé ? Oui.
→ B. 87

⑳ b. **Foi a terceira vez que ele perdeu um terço da sua fortuna.**
C'était la troisème fois qu'il a perdu un tiers de sa fortune.
→ B. 85

㉑ a. **Penso nisso quando te vejo.**
J'y pense quand je te vois.
→ B. 73

㉒ c. **Gostava que me dissesses quais são os teus projectos.**
J'aimerais que tu me dises quels sont tes projets.
→ B. 69

㉓ b. **Peço-lhe que me empreste dinheiro.**
Je lui demande qu'il me prête de l'argent.
→ B. 2

㉔ b. **Ele chegou a mostrar o passaporte.**
Il en est venu à montrer son passeport.
→ B. 89

㉕ b. **Ele está tão cansado como eu.**
Il est aussi fatigué que moi.
→ B. 77

㉖ d. **Por não o ter visto, não pude combinar com ele para ir à praia.**
Parce que je ne l'ai pas vu, je n'ai pas pu m'entendre avec lui pour aller à la plage.
→ B. 32

㉗ b. **Ele empresta-lhes dinheiro.**
Il leur prête de l'argent.
→ B. 6

㉘ b. **O poeta está na estação.**
Le poète est dans la gare.
→ B. 9

㉙ c. **Diz lá ! Tens cá o livro que te emprestei.**
Dis-donc ! As-tu ici chez toi le livre que je t'ai prêté ?
→ B. 29

㉚ c. **Não era uma mulher, era um mulherão.**
Ce n'était pas une femme, c'était une hommasse.
→ B. 80

㉛ c. **Foi o exercício mais fácil que fiz.**
C'est l'exercice le plus facile que j'aie fait.
→ B. 78

㉜ d. **Ele vem comigo ao cinema.**
Il vient avec moi au cinéma.
→ B. 7

㉝ c. **O carro saiu da garagem e foi contra a árvore.**
La voiture est sortie du garage et est entrée dans l'arbre.
→ B. 18

③④ b. **É melhor fazermos as malas par partirmos.**
Il vaut mieux que nous fassions nos bagages pour partir.
→ B. 62

③⑤ b. **A refeição já está feita ; foi preparada por mim.**
Le repas est déjà fait ; il a été préparé par moi.
→ B. 39

③⑥ c. **Ele disse que vinha quando houvesse menos gente.**
Il a dit qu'il viendrait quand il y aurait moins de monde.
→ B. 63

③⑦ c.d. **Ele contara (tinha contado) a sua viagem e dissera (tinha dito) belos poemas.**
Il avait raconté son voyage et avait dit de beaux poèmes.
→ B. 53

③⑧ c. **Vou andando enquanto tu esperas pelo João.**
Je commence à marcher pendant que tu attends João.
→ B. 41

③⑨ d. **Não vamos neste avião, vamos antes no de amanhã.**
Nous ne prendrons pas cet avion, prenons plutôt celui de demain.
→ B. 24

④⓪ c. **Por mais fome que tivesse, ele não comia.**
Il avait beau avoir faim, il ne mangeait pas.
→ B. 65

④① d. **Estás à espera do Pedro ? Ei-lo.**
Tu attends Pedro ? Le voici.
→ B. 33

④② b. **Ela vai a ler sempre que faz uma viagem de comboio.**
Elle lit chaque fois qu'elle fait un voyage par le train.
→ B. 94

43. b. **A avó da Maria é inglesa.**
La grand-mère de Marie est anglaise.
→ B. 100

44. b. **O rei Afonso quinto viveu no século quinze.**
Le roi Alphonse V a vécu au XVe siècle.
→ B. 97

45. c. **O autocarro passa pela nossa rua e pára perto da minha casa.**
L'autobus passe dans notre rue et s'arrête près de chez moi.
→ B. 27

46. a. **Há muitos carros que não têm onde estacionar.**
Il y a beaucoup de voitures qui n'ont pas de place où stationner.
→ B. 35

47. c. **Meu amigo, este livro é seu ; não é do João.**
Mon ami, ce livre est à vous ; il n'est pas à Jean.
→ B. 21

48. b. **São dez horas e o avião já está na pista.**
Il est dix heures et l'avion est déjà sur la piste.
→ B. 36

49. a. **É necessário que tu venhas connosco à Madeira.**
Il faut que tu viennes avec nous à Madère.
→ B. 45

50. b. **Viajei no carro dele e não no seu.**
J'ai voyagé dans sa voiture et non pas dans la vôtre.
→ B. 22

(51) c. **Onde é que puseste o meu cachimbo ?**
Où est-ce que tu as mis ma pipe ?
→ B. 43

(52) c. **Peço-lhe o seu passaporte ; dou-lho amanhã.**
Je vous demande votre passeport ; je vous le donne demain.
→ B. 8

(53) d. **Vocês saem hoje à noite ou ficam em casa ?**
Vous sortez ce soir ou vous restez à la maison ?
→ B. 46

(54) b. **O turista que está na loja é francês e não está contente.**
Le touriste qui est dans la boutique est français et il n'est pas content.
→ B. 38

(55) c. **Já são dez horas e as camas estão por fazer.**
Il est déjà dix heures et les lits sont à faire.
→ B. 42

(56) a. **Na próxima semana vou a Lisboa e tomo o avião.**
La semaine prochaine je vais à Lisbonne et je prendrai l'avion.
→ B. 48

(57) c. **Espero que eles estejam em casa.**
J'espère qu'ils sont à la maison.
→ B. 57

(58) c. **Se tu não souberes o caminho, pergunta.**
Si tu ne connais pas le chemin, demande-le.
→ B. 61

⑤⑨ d. **O avião acaba de aterrar.**
L'avion vient d'atterrir.
→ B. 95.

⑥⓪ α. **Esta história, tenho-a ouvido muitas vezes ulti-mamente.**
Cette histoire, je l'ai entendue souvent dernièrement.
→ B. 51.

⑥① b.d. **Ele disse que tu virias (que vinhas) amanhã.**
Il a dit que tu viendrais demain.
→ B. 60.

⑥② c. **Esta caneta é a que tu me deste.**
Ce stylo est celui que tu m'as donné.
→ B. 26.

⑥③ b. **O barco vai rio acima e passa por baixo da ponte.**
Le bateau remonte le fleuve et passe sous le pont.
→ B. 30.

⑥④ c. **A gata estava morta ; tinha morrido na véspera.**
La chatte était morte ; elle était morte la veille.
→ B. 54.

⑥⑤ d. **Os cães desta casa são maus como leões.**
Les chiens de cette maison sont méchants comme des lions.
→ B. 17.

⑥⑥ α. **Vestiu o sobretudo como se quisesse sair.**
Il a mis son pardessus comme s'il voulait sortir.
→ B. 59.

⑥⑦ d. **Ele está no escritório que fica no terceiro andar.**
Il est dans le bureau qui est au troisième étage.
→ B. 37.

⑥⑧ **b.** **Ela foi ao mercado e trouxe o que pôde.**
Elle est allée au marché et elle a apporté ce qu'elle a pu.
→ B. 50.

⑥⑨ **c.** **Elas estão adiantadas cinco minutos.**
Elles sont en avance de cinq minutes.
→ B. 98.

⑦⓪ **a.d. Ao abrir (abrindo) a janela, ele ouviu barulho.**
En ouvrant la fenêtre, il a entendu du bruit.
→ B. 56.

⑦① **b.** **As viagens são agradáveis.**
Les voyages sont agréables.
→ B. 16.

⑦② **b.** **O carro passa na ponte.**
La voiture passe sur le pont.
→ B. 10.

⑦③ **c.** **Nas últimas férias, eu ia todos os dias à praia.**
Pendant les dernières vacances, j'allais tous les jours à
la plage.
→ B. 52.

⑦④ **d.** **Ele fez-me lembrar o meu irmão.**
Il m'a rappelé mon frère.
→ B. 93.

⑦⑤ **c.** **Serve o café, mas não o tragas frio.**
Sers le café, mais ne l'apporte pas froid.
→ B. 47.

⑦⑥ **c.** **Eles gostam da casa, compram-na.**
Ils aiment cette maison, ils l'achètent.
→ B. 3.

77 d. **Ele nem sequer comeu.**
Il n'a même pas mangé.
→ B. 82.

78 b. **Não via esse lugar aí ao pé de ti. Só via aquele lá ao fundo.**
Je ne voyais pas cette place à côté de toi. Je ne voyais que celle du fond.
→ B. 23.

79 a. **Ele gostava de estudar e interessava-se pela matemática.**
Il aimait étudier et s'intéressait aux mathématiques.
→ B. 34.

80 b. **Não digo por que razão fico aqui.**
Je ne dis pas pourquoi je reste ici.
→ B. 31.

81 c. **Ontem andei tanto que fiquei cansado.**
Hier j'ai tant marché que j'ai été fatigué.
→ B. 49.

82 d. **O actor desempenha um papel e toca viola.**
L'acteur joue un rôle et joue de la guitare.
→ B. 96.

83 c. **Era útil marcar os lugares ; eras tu que costumavas fazê-lo.**
C'était utile de réserver les places ; c'est toi qui avais l'habitude de le faire.
→ B. 25.

84 a.c. **O João está a telefonar (está telefonando) à Maria.**
Jean est en train de téléphoner à Marie.
→ B. 40.

⑧⑤ **b. Se eu soubesse, dir-to-ia.**
Si je le savais, je te le dirais.
→ B. 64.

⑧⑥ **a. Estes atlas ingleses são simples e úteis.**
Ces atlas anglais sont simples et utiles.
→ B. 15.

⑧⑦ **d. Ele deu a sua opinião às minhas amigas.**
Il a donné son opinion à mes amies.
→ B. 20.

⑧⑧ **c. Tu tens de ir a esse encontro hoje.**
Il faut que tu ailles à ce rendez-vous aujourd'hui.
→ B. 44.

⑧⑨ **a. O bolo, comê-lo-ás amanhã.**
Le gâteau, tu le mangeras demain.
→ B. 5.

⑨⓪ **c. O colega do polícia é um homem simpático.**
Le collègue du policier est un homme sympathique.
→ B. 14.

⑨① **a. A bagagem é pesada e enorme, mas fácil de transportar.**
Les bagages sont lourds et énormes, mais faciles à transporter.
→ B. 13.

⑨② **b. A estudante é trabalhadeira.**
L'étudiante est travailleuse.
→ B. 11.

⑨③ **c. O casaco em cujo bolso encontrei o dinheiro é teu.**
La veste dans la poche de laquelle j'ai trouvé l'argent est à toi.
→ B. 71.

⑨④ c. **O cheque, não lho demos.**
Le chèque, nous ne le lui avons pas donné.
→ B. 4.

⑨⑤ c.d. **Estou à espera de uma (duma) amiga minha.**
J'attends une de mes amies.
→ B. 19.

⑨⑥ c. **Empresta-me o livro de que me falaste.**
Prête-moi le livre dont tu m'as parlé.
→ B. 70.

⑨⑦ d. **Ele já ganhou dois prémios ; acaba de ganhar mais um.**
Il a déjà eu deux prix ; il vient d'en avoir encore un.
→ B. 88.

⑨⑧ c. **Está alguém em casa ?**
Y a-t-il quelqu'un à la maison ?
→ B. 75.

⑨⑨ d. **A menina sabe onde é o cinema ?**
Savez-vous, Mademoiselle, où est le cinéma ?
→ B. 1.

⑩⓪ b. **O homem é gordo e a mulher é magra.**
L'homme est gros et la femme est maigre.
→ B. 12.

Index

Index

L'index renvoie aux unités de la partie B.

Liste des points traités dans la partie B.

LE PORTUGAIS POUR TOUS
EN 40 LEÇONS

par

Solange Parvaux

Inspecteur général de portugais

et

Jorge Dias Da Silva

Assistant associé à l'Université de Paris III

I ■ Chamo-me...

A 1 PRÉSENTATION

■ **o** final indique qu'un **verbe** est à la première personne du singulier du présent de l'indicatif. Il n'est pas nécessaire d'exprimer le pronom sujet.

chamo, *j'appelle.*

■ **o** final indique qu'un **nom** est masculin : **Nuno** (prénom d'homme).

■ **a** final indique qu'un **nom** est féminin : **Rosa** (prénom de femme).

chamo	[**chá**mou]	*j'appelle*
me	[**me**u]	*m', me*
Nuno	[**nou**nou]	*Nuno*
		(prénom qui n'existe pas en français)
Hugo	[**ou**gou]	*Hugues*
Bruno	[**brou**nou]	*Bruno*
Rodolfo	[Rou**dôl**fou]	*Rodolphe*
Rosa	[**Rò**zà]	*Rose*

■ **Remarque :** Toutes les syllabes d'un mot n'ont pas la même valeur : l'une d'entre elles est toujours plus intensément accusée, plus longue.
Cette syllabe accentuée est appelée syllabe tonique, car elle porte l'accent tonique. Cet **accent tonique** n'est, normalement, **pas écrit.**
Il est très important de savoir reconnaître la syllabe accentuée, les voyelles ne se prononçant pas de la même façon suivant qu'elles sont dans la syllabe tonique ou non.

■ Pour vous habituer à la reconnaître, nous l'écrirons toujours en caractères gras dans la transcription phonétique.

A 2 APPLICATION

1. — Chamo-me Nuno.
2. — Chamo-me Rosa.
3. — Chamo-me Hugo.
4. — Chamo-me Rodolfo.
5. — Chamo-me Bruno.

I ■ Je m'appelle...

A 3 REMARQUES

■ **L'avant-dernière syllabe** d'un mot est plus accentuée, lorsque le mot se termine par **o** ou **a**. C'est une syllabe tonique.

chamo **Ro**sa **Nu**no Ro**dol**fo Ro**ber**to

■ La voyelle **u** se prononce toujours *ou*, comme dans *cou*.

Nuno [**nou**nou] **Hu**go [**ou**gou] **Bru**no [**brou**nou]

■ Le **e** [eu] de **me** se prononce comme le *eu* de *peu*.

■ La prononciation des autres voyelles change suivant que celles-ci se trouvent dans la syllabe accentuée ou **tonique**, ou la syllabe non accentuée ou **atone**.

■ Prononciation de **o** :
— dans la syllabe tonique, **o** se prononce *o* comme dans *note* : **Ro**sa [**Rò**zà] (transcrit [ò]) ;
— **o** suivi de **l** se prononce comme dans *Paule* : Ro**dôl**fo [Rou**dôl**fou] (transcrit [ô]) ;
— dans la syllabe atone, **o** se prononce toujours *ou*.
   ex. : **Nu**no [**nou**nou], Rodolfo [Rou**dôl**fou].

■ Prononciation de **a** :
— dans une syllabe atone, **a** se prononce comme le *e* de *fleur*, c'est-à-dire entre *a* et *e* ; nous le transcrivons [à] : **Ro**sa [**Rò**zà] ;
— de même le **a** tonique suivi de **m** : [**châ**mou].

■ Les **consonnes** présentes dans le texte se prononcent toutes comme en français, sauf le **r** initial. Il se prononce en faisant vibrer la pointe de la langue derrière les dents au niveau de la racine. Il ressemble à un *r* roulé ; nous le transcrivons par un R majuscule [R] : Ro**dol**fo [Rou**dôl**fou], **Ro**sa [**Rò**zà].

■ Le pronom personnel complément **me** se place toujours après le verbe (et il est rattaché par un trait d'union) dans une phrase affirmative : **chamo-me**, *je m'appelle*.

A 4 TRADUCTION

1. — Je m'appelle Nuno.
2. — Je m'appelle Rosa.
3. — Je m'appelle Hugues.
4. — Je m'appelle Rodolphe.
5. — Je m'appelle Bruno.

I ■ Não me chamo...

B 1 PRÉSENTATION

■ **não :** cette **négation** *(= ne... pas)* se place devant le verbe, dans une phrase négative.

Remarquer bien que le *pas* ne se traduit pas.

não me chamo, *je ne m'appelle pas...*

■ La place du pronom personnel complément **(me) :**

— dans les phrases affirmatives, il se place après le verbe, rattaché par un trait d'union ;

chamo-me Ana, *je m'appelle Anne.*

— dans les phrases négatives, il se place devant le verbe (entre la négation et le verbe).

não me chamo Ana, *je ne m'appelle pas Anne.*

não	[nãou:]	*ne... pas*	**Marta**	[martà]	*Marthe*
João	[jouãou:]	*Jean*	**Ana**	[ànà]	*Anne*
Clara	[klarà]	*Claire*	**Joana**	[jouànà]	*Jeanne*

■ La langue portugaise se caractérise phonétiquement par la présence d'un fort accent tonique, par une modulation subtile des voyelles dont la prononciation change, suivant qu'elles se trouvent dans la syllabe tonique ou la syllabe atone, par la prononciation chuintée du **s** final (prononcé comme *ch* de *chou*), du moins au Portugal, et une très forte nasalité.
Elle présente aussi un certain nombre de formes grammaticales originales, qu'on ne trouve dans aucune autre langue romane. Nous les étudierons ultérieurement.

B 2 APPLICATION

1. — Não me chamo João.
2. — Chamo-me Bruno.
3. — Não me chamo Clara.
4. — Chamo-me Marta.
5. — Não me chamo Ana.
6. — Chamo-me Joana.

I ■ Je ne m'appelle pas...

B 3 REMARQUES

Prononciation

■ La voyelle **a**, dans la syllabe tonique :

— **a** se prononce ouvert comme le *a* de *chat* : **Cla**ra [klarå], **Ma**rta [martå] ;

— **a** (surtout suivi de **m** ou **n**) se prononce comme le **a** d'une syllabe atone, c'est-à-dire comme le *e* de *fleur*, entre *a* et *e* (nous le transcrivons [å]).

      Ana [ånà] *Anne*, **Joana** [jouånà] *Jeanne*.

■ (˜), ce signe, appelé *til* en portugais, se place sur une voyelle pour indiquer que cette voyelle est **nasale**, c'est-à-dire prononcée du nez (nous l'emploierons pour indiquer une prononciation nasale).

■ Le groupe **ão** se prononce comme le *aon* du français *paon* ; nous le transcrivons [åou:]. C'est une diphtongue nasale, parce que l'une des deux voyelles qui la composent est une voyelle nasalisée [ã] : **não** [nåou:], **João** [jouåou:] *Jean*.

■ Le **j** se prononce dans tous les cas comme en français (ex. : *je*), **João** [jouåou:].

■ Le **r** entre deux voyelles, ou entre une voyelle et une consonne, se prononce en faisant vibrer légèrement la pointe de la langue derrière les dents, près de la racine. Il vibre beaucoup moins que le **r** initial ou que **rr**. Nous le transcrivons [r] : **Cla**ra [klarå], **Ma**rta [martå].

■ L'accent tonique (suite) : La **dernière syllabe** est accentuée, si le mot se termine par **ão** : **João** [jouåou:].

B 4 TRADUCTION

1. — Je ne m'appelle pas Jean.
2. — Je m'appelle Bruno.
3. — Je ne m'appelle pas Claire.
4. — Je m'appelle Marthe.
5. — Je ne m'appelle pas Anne.
6. — Je m'appelle Jeanne.

1. **Traduire :**
   a) chamo-me Joana.
   b) não me chamo Clara.

2. **Mettre à la forme négative :**
   chamo-me Rodolfo.

3. **Souligner la syllabe tonique :**
   a) Rodolfo
   b) Joana
   c) João
   d) Bruno
   e) chamo

C 2 PRONONCIATION

Clara	[**kla**rà]	Bruno	[**brou**nou]
Rodolfo	[Rou**dôl**fou]	Joana	[jou**à**nà]
Nuno	[**nou**nou]	chamo-me	[**châ**mou-meu]
João	[jou**ãou**:]		

■ **Attention :** il est très important de savoir où se place l'accent tonique puisque la prononciation d'une même voyelle n'est pas la même dans une syllabe tonique et dans une syllabe atone.

1.

    a) je m'appelle Jeanne.
    b) je ne m'appelle pas Claire.

2.

    não me chamo Rodolfo.

3.

    a) Ro**dol**fo
    b) Jo**a**na
    c) João
    d) **Bru**no
    e) **cha**mo

C 4   LE PORTUGAIS DU BRÉSIL

Le portugais parlé au Brésil présente, par rapport au portugais parlé au Portugal, des différences de prononciation, de vocabulaire et de grammaire. Nous signalerons les plus caractéristiques, au fur et à mesure qu'elles se présenteront.

■ **Prononciation** : Le **r** initial ne se prononce pas comme en portugais : il ressemble, non à un *r* roulé, mais plutôt à un *r* grasseyé, comme dans le français *quart,* mais plus appuyé.

■ **Grammaire** : La place du **pronom personnel** est l'une des principales différences grammaticales. Dans les **phrases affirmatives**, le pronom se place généralement avant le verbe comme dans les phrases négatives ; c'est le cas à la 1re personne.

    Portugal : **chamo-me João ; não me chamo João.**
    Brésil : **me chamo João ; não me chamo João.**